*Cette publication constitue le
quatre-vingt-dix-huitième livre
publié par les Éditions JCL inc.*

ÉDITION DU CLUB QUÉBEC LOISIRS INC.
© Avec l'autorisation des Éditions JCL
Dépôt légal — Bibliothèque nationale du Québec, 1994
ISBN 2-89430-097-2
(publié précédemment sous ISBN 2-920176-98-6)

# LINE ROUSSEL

cette
# Nuit
qui changea ma
# Vie!

TÉMOIGNAGE

## AVERTISSEMENT

*À mon conjoint,*
*pour sa patience*
*et sa compréhension.*

*À maman,*
*disparue beaucoup*
*trop rapidement.*

# REMERCIEMENTS

Je voudrais remercier tous ceux qui, grâce à leur coopération et à leur gentillesse, ont permis que cet ouvrage soit achevé:

- La préposée aux greffes pénales du palais de justice
- L'agent Laprade de la Sûreté du Québec
- Ma sœur, Diane
- Carol Néron et Josée Thibault pour leur soutien à l'écriture.

À vous, parents, amis qui vous êtes trouvés bien involontairement acteurs de ce drame, j'espère que vous comprendrez la situation qui m'a obligée à parler de vous. Mon intention n'a jamais été de vous blesser ou de vous nuire. Au contraire, j'ai comme la certitude, en dedans de moi, que cette aventure désagréable nous fera tous grandir, aujourd'hui ou demain!

Merci.

L. R.

# TABLE DES MATIÈRES

# CHAPITRE 1

# L'AGRESSION

Février 1979. L'hiver étire sa tristesse sur un paysage gris, morose. Les rues de mon village dans lequel je mène l'existence rangée d'une jeune fille de la campagne disparaissent encore sous une neige sale et repoussante. Les gens marchent rapidement, pressés de se mettre à l'abri. Le froid les rend maussades, ils ont hâte que le printemps vienne nettoyer ce décor lugubre et, peut-être, qui sait, leur existence. Dans quelques semaines, je fêterai mon dix-huitième anniversaire de naissance. Ma vie est bien entamée et je me sens bien malgré la grisaille environnante.

J'ai mis fin à mes études alors que j'avais quinze ans. Inutile de chercher les raisons qui m'ont poussée à agir de la sorte. Disons simplement que je nourrissais très peu d'intérêt pour l'école en général et mes professeurs en particulier. Je n'étais pourtant pas une élève difficile. La vie est ainsi faite, on se lève un beau matin, bien décidée d'en finir avec un problème qui vous empoisonne l'existence depuis trop longtemps. C'est ce que j'ai fait avec la bénédiction de mes parents. Je n'ai éprouvé aucune difficulté à les convaincre, étant donné qu'au beau milieu de mon adolescence, je prenais déjà en charge l'entretien de la maison. À l'époque, ma mère, qui sortait de l'hôpital après avoir subi une opération chirurgicale, voyait d'un bon œil le fait que ce soit moi qui lui succède dans la cuisine.

À cette époque, la vie s'écoulait sans surprises et je ne songeais nullement à m'en plaindre. J'imagine qu'il y avait des filles de mon âge qui avaient plus de raisons de se sentir mal dans leur peau. Parallèlement à mon travail à la maison, je m'étais déniché un modeste emploi de couturière dans une manufacture de vêtements non loin de la demeure familiale. Je me considérais comme une employée modèle... À mon insu, je m'inscrivais déjà dans le moule de la société de consommation: j'économisais pour m'acheter une voiture, je me gâtais un peu, pas trop, en achetant des magazines de mode hors de prix, ce qui me permettait d'avoir des idées. *On ne sait jamais, peut-être, un jour, pourrais-je lancer ma propre ligne de vêtements?* me disais-je. Les rêves, n'est-ce pas, n'ont jamais tué personne? C'est bien connu, il n'y a que les espoirs qui meurent.

Puis, comme ça, sans avertissement, il y a eu Alex. Une copine de travail me l'a présenté, un soir. Je ne me souviens pas vraiment des circonstances de cette rencontre qui, comme on le dit dans les romans *Harlequin*, a changé ma vie. Était-ce dans un bar, au restaurant? À bien y penser, maintenant, tout cela n'a guère d'importance. Sur le coup, je crois que je n'ai pas été vraiment impressionnée. Bien sûr, Alex est un beau gars, trop peut-être. Je me suis dit qu'un type dans son genre devait avoir toutes les filles après lui et que je plongerais dans un tas d'ennuis si, par malheur, je succombais à son charme. Le destin se fiche pas mal de nos craintes ou de nos espoirs. Il décide pour nous. Je crois que, sans m'en rendre compte, je me suis laissée emporter par le regard d'Alex. Sa taille, sa démarche assurée, son visage aux traits à la fois doux et sévères, m'ont subjuguée. Plus âgé que moi de deux ans, Alex a su prendre son temps, se montrant attentionné et patient. Graduellement, nous avons découvert que nous avions en commun plusieurs traits de caractère: ouverture d'esprit, curiosité, générosité... Je crois, en fin de compte, que nous formions un couple très ordinaire. Mais quand on aime, on se croit uniques, seuls au monde à partager un bonheur au sein duquel nul n'a le droit de pénétrer.

Orphelin dès son plus jeune âge, Alex avait appris très rapidement à démêler les fils de son existence. L'éducation qu'il avait reçue auprès de ses frères et de ses sœurs plus âgés, chez qui il trouvait successivement refuge, lui avait tout de même permis de se façonner une personnalité bien à lui. D'une certaine manière, je l'enviais, car mes parents nous éduquaient très sévèrement. Cette attitude familiale rigide ne se traduisait pas par des brimades ou autre chose du même genre; disons, simplement, que nous ne pouvions agir en tout temps à notre guise et qu'il fallait trouver des explications à toutes nos fautes, grandes ou petites. Quand on a sept ans, ce genre d'attitude fait souvent naître des drames dans nos pauvres petites têtes d'enfant... Nos sorties, le soir et les fins de semaine, suivaient un code plutôt sévère, si on les comparait à celui en vigueur ailleurs dans le voisinage. Aujourd'hui, à la lumière de l'expérience que j'ai vécue, je me dis, avec un peu de regret, que mon enfance et mon adolescence ont été choyées malgré tout. Je n'ai jamais manqué de rien, ni d'amour véritable, ni d'affection, ni de conseils. Ma mère, en femme de principes et en épouse fidèle, régnait sur la maisonnée avec une assurance à la fois douce et ferme. Mon père, se conformant à la tradition, lui avait abandonné l'éducation des enfants. Elle s'adonnait à cette tâche vingt-quatre heures par jour avec ce tranquille détachement qui, je suppose, caractérise toutes les mères conscientes du rôle effacé, mais combien important, qui est le leur dans une famille de sept enfants. C'est auprès de maman que nous trouvions refuge lorsqu'il était temps de prendre une décision importante ou pour trouver une consolation.

\*\*\*

La vie est agréable, malgré février et sa neige tachée de calcium. Je suis amoureuse d'Alex, je veux qu'il me fasse de beaux enfants, que nous formions une famille heureuse, à l'image de celle dans laquelle j'ai été élevée. Je ne demande à l'existence rien de vraiment exceptionnel, en fait, je me trouve plutôt modeste.

Mon père était policier; pour arrondir ses fins de mois, il travaillait dans l'usine de pâtes et papiers située dans le village voisin. Avec le temps, et comme il fallait bien s'y attendre, ses patrons lui ont demandé de s'occuper de la sécurité dans l'usine. Il a donc abandonné son poste à la Centrale de police pour remplir ses nouvelles fonctions. De ce côté-là, les choses, au moins, ont bien tourné. Papa prenait son travail à cœur et, par conséquent, il était très apprécié par les gens qui l'employaient. Je le revois encore, rentrant à la maison après sa journée de travail; il embrassait rapidement maman sur la joue, puis, se dirigeant vers nous, tâtait l'humeur de chacun en allant de l'un à l'autre. Il s'entendait très bien avec maman. Je dois dire que, sous bien des aspects, leurs personnalités se complétaient à merveille.

Une règle fondamentale, à la maison, voulait que nous informions sur-le-champ nos parents de l'évolution de nos fréquentations. Je ne savais donc trop comment aborder la question très délicate de mon attachement pour Alex, car j'appréhendais une réaction négative en provenance soit de papa, soit de maman. Finalement, je choisis de discuter avec ma mère plutôt qu'avec mon père, me disant que, après tout, entre femmes, il y avait certainement une possibilité de trouver un terrain d'entente. Une fois ma décision prise, il me restait à trouver le moment idéal pour aller de l'avant avec mon projet. J'étais alors très timide, ce qui n'a guère changé aujourd'hui! Après avoir tourné la question dans tous les sens, je me dis que la meilleure approche était d'écrire à maman. J'ai toujours trouvé plus facile de m'exprimer avec une plume et du papier, sans doute parce que cette méthode permet à ceux qui l'utilisent de prendre leur temps pour préparer et présenter leurs arguments...

Je remis discrètement ma lettre à maman, et, deux jours plus tard, je recevais sa réponse. Cette façon de correspondre me donnait l'impression d'être un super agent secret en train de remplir une mission dangereuse! Je trouvais tout cela extrêmement amusant et stressant à la fois. Ma mère savait quand je lui écrivais, cette réaction était instinctive chez elle. Je déposais mes lettres soigneusement pliées en quatre sous le pot de *Comet* dans la chambre de bains et elle me remettait la sienne en utilisant le même stratagème. Pour elle, j'étais sa *«petite fleur»*; ce surnom affectueux me plaisait bien. Émue, j'ouvris en tremblant l'enveloppe contenant le mot de ma mère. Toute la maisonnée dormait. La réponse, écrite d'une main ferme, me rassura. D'emblée, maman écrivait qu'il lui était difficile d'admettre que la cadette de ses filles avait maintenant atteint l'âge de fréquenter

16

sérieusement un garçon. Toutefois, en dépit de ses propres sentiments, basés sur l'amour et non sur l'égoïsme, elle disait comprendre mon état d'âme. Elle me donnait, en quelque sorte, sa permission. Désormais, je n'avais plus rien à craindre, je pouvais sortir avec Alex aussi souvent que je le désirais, il me suffisait de respecter les règlements édictés par maman.

J'étais folle de joie! Alex était mon premier amour. Nous avons commencé à nous voir deux fois par semaine, le vendredi et le samedi soir. Nos rencontres prenaient toujours l'allure de rendez-vous débordants. L'amour sortait par tous les pores de notre peau! La soirée du mercredi était réservée aux longues, très longues conversations téléphoniques. Ces échanges duraient parfois plus d'une heure et, rarement, l'inspiration venait à faire défaut lorsqu'il s'agissait de nous susurrer des mots doux, qui couraient sur les fils téléphoniques sans que personne ne sache ce que nous nous disions. Nous étions en amour par-dessus la tête et l'ennui s'installait rapidement les jours où nous ne pouvions nous voir ou converser au téléphone. J'avisais toujours mes parents de nos sorties. Soucieux de notre tranquillité, voulant profiter de chaque instant d'intimité, nous gardions nos distances avec les discothèques. Alex détestait se trémousser sur une piste de danse et, quant à moi, je ne ressentais aucune affinité avec l'alcool. Nous préférions les salles de cinéma et les arénas aux soirées bruyantes. C'est en assistant à un spectacle de patinage sur glace que nous avons échangé notre premier baiser. De temps à autre, nous rendions visite aux membres de la famille d'Alex, qui demeuraient au centre du village. Nous étions un couple tranquille et je crois bien que jamais nous n'avons été aussi heureux qu'à cette époque.

Quand je l'ai connu, Alex faisait preuve d'une grande générosité envers ses semblables. Il était très attachant. Il n'a pas changé... Je me souviens que le seul élément un peu dérangeant de son caractère était la jalousie dont il faisait preuve pour tout ce qui me concernait. Je me suis vite habituée. Cependant, je considérais cet aspect de sa personnalité, que d'autres femmes auraient sans doute trouvé désagréable, comme la démonstration de son amour pour moi. Contrairement à Alex, je n'entretenais aucun penchant capable de se traduire par un attachement excessif envers quiconque. J'ai toujours démontré, c'est encore le cas aujourd'hui d'ailleurs, une grande indépendance d'esprit. Je suis dans le genre «vivre et laisser vivre». Une fois bien au courant des caractéristiques de nos personnalités respectives, nous avons agi en nous efforçant de les respecter. Oh! nous n'étions pas à l'abri des petits désagréments de l'existence, qui s'appellent, entre autres, mauvaise humeur et impatience. Dans l'ensemble, toutefois, je puis affirmer honnêtement qu'il n'y a jamais eu entre nous de véritables disputes pendant tout le temps que nous nous sommes fréquentés.

***

Cette année-là, août était pluvieux, maussade. Le vent soufflait continuellement et avec force, bousculant les arbres sur son passage. Lorsque les cloches de l'église paroissiale, qui annonçaient notre mariage, ont sonné, le carillon a été emporté loin, très loin. Par-delà les toits des maisons, jusqu'à la limite du village, le son s'est propagé à la vitesse de la bourrasque. J'étais heureuse comme toutes les nouvelles mariées le sont. Je venais d'unir mon destin à celui d'Alex. Pour le meilleur et pour le pire.

Les semaines qui ont précédé notre union ont failli me rendre folle. Plus la cérémonie approchait, moins je tenais en place. Ma mère m'inondait de conseils, mes frères et mes sœurs me taquinaient, papa me regardait et je lisais de la tristesse dans ses yeux. Avec mon départ du toit familial prenait fin une partie de son existence. Je m'efforçais de penser à autre chose, car moi aussi, malgré le bonheur qui m'habitait, j'appréhendais un peu de quitter la maison. C'était un mélange de nervosité et d'impatience, le tout teinté de mélancolie. Physiquement, j'étais prête. J'avais hâte de me donner entièrement, totalement à Alex, qui avait toujours fait preuve d'un comportement respectueux à mon égard. Je me demandais quelle serait ma réaction lorsqu'il me déshabillerait. Je ne voulais pas le décevoir, je désirais plus que tout au monde qu'il se souvienne de cette première nuit lorsque nous fêterions, avec nos nombreux petits-enfants, le cinquantième anniversaire de notre mariage. Mon Dieu! comme je craignais de faire un faux pas!

Je garde une bonne impression de la cérémonie qui a vu la concrétisation, devant Dieu et les hommes, de notre union. La fête fut magnifique, tout le monde s'y est amusé. Ma première nuit avec Alex a été mémorable. Je ne sais pas, cependant, quel souvenir Alex garde de ce moment magique. Quant à moi, ces premières heures d'intimité totale demeurent encore dans ma mémoire, avec la naissance de mes enfants, comme l'un des plus beaux instants de mon existence. Je me suis soudainement retrouvée dans la peau d'une jeune mariée contente de sa nouvelle indépendance, appréciant chaque heure de la journée, même celles où l'esprit doit se concentrer sur le ménage plutôt que sur les choses du cœur. Je n'ai éprouvé aucune difficulté à m'adapter aux tâches domestiques, possédant déjà, dans ce domaine, une vaste expérience... La lune de miel – du moins ce que la majorité des gens considèrent comme telle – fut cependant écourtée, quelques jours seulement après la célébration du mariage, par l'arrivée à la maison du frère cadet d'Alex. Jimmy était à la recherche d'un foyer.

Alex, qui avait vécu à répétition, toute sa vie, le même genre d'expérience, ne pouvait demeurer insensible à cette situation; lorsqu'il me demanda si je voyais un inconvénient à ce que son frère vienne demeurer chez nous, je répondis immédiatement que celui-ci serait le bienvenu. Jimmy faisait partie de la famille, je l'acceptais sans réserve. Je savais que sa présence ne serait la source d'aucune tension.

Bien qu'à peine sorti de l'adolescence, Jimmy ne fréquentait plus l'école. Il travaillait au même endroit qu'Alex, à l'usine locale. Je m'habituai très rapidement à lui, car il s'entendait très bien avec son grand frère. Alex paraissait si heureux de pouvoir l'héberger que je ne pouvais faire autrement que de partager sa joie. Nous habitions un modeste logement situé un peu en retrait du village qui nous avait vus naître tous les deux. Nous aimions ce lieu, en raison de son calme et de l'amabilité de ses habitants. L'immeuble dans lequel nous vivions, le plus imposant du village, comptait quatre logements; le nôtre était situé au rez-de-chaussée et était voisin de celui habité par un autre frère d'Alex, Simon. Cette proximité ne m'indisposait nullement, au contraire, je trouvais un certain réconfort d'être ainsi entourée de parents... La vie s'écoulait selon le rythme propre aux petites communautés où tous les gens se connaissent et s'apprécient mutuellement.

Mais ce qui devait arriver arriva. Je constatai, d'un seul coup, que les habitudes du quotidien avaient pris le pas sur notre vie de couple. Avec le recul, je me dis que cette situation ne pouvait faire autrement que de se présenter. Le matin, très tôt, nous quittions notre appartement pour le travail. Le repas du midi se prenait à l'usine pour Alex et, pour moi, à la manufacture. Le soir, nous nous empressions d'expédier le souper pour, ensuite, regarder la télé ou rendre visite à un membre de la famille. Ce rituel était quelquefois interrompu par des copains d'Alex. Ils prenaient place autour de la table dans la cuisine ou dans les fauteuils du salon et discutaient pendant des heures de courses automobiles ou de groupes rock, sans se préoccuper de ma présence. Je me sentais délaissée. Ces soirées étaient monotones. J'en vins bientôt à penser qu'Alex ne m'aimait plus... Nous faisions de moins en moins de projets et nos conversations en tête-à-tête devenaient rares. Le grand amour avait fait place à la routine. Les jours succédaient aux nuits selon un rythme maintenant prévisible. Je sentais que des choses primordiales me glissaient entre les doigts, malgré toute la bonne volonté dont je faisais preuve. Que s'était-il passé? Où la machine s'était-elle enrayée? J'avais tellement investi dans mon amour pour Alex! Pour me consoler, j'attribuai ces difficultés à la période d'adaptation qui avait suivi notre mariage, qui avait été selon moi trop longue. J'en vins également à considérer qu'un manque d'intimité pouvait être une des causes de la mauvaise passe que j'étais en train de vivre.

\*\*\*

C'était l'automne, l'air hésitait entre le froid des nuits sans lune et la douceur des matins calmes, alors que le soleil commence à étirer ses rayons au-delà de l'horizon. Les feuilles des érables bordant la rue principale jonchaient le sol et rien n'avait changé à la maison, à l'exception du quart de travail d'Alex. En raison d'un ralentissement de la production, habituel à cette période de l'année, plusieurs employés avaient été mis à pied temporairement. D'autres, plus chanceux, demeuraient toujours sur la liste de paie mais devaient travailler le soir. Alex faisait partie de ce dernier groupe. Je détestais rester seule à la maison, surtout à la tombée de la nuit. J'avais peur. De quoi? De tout et de rien. J'ai dû me résigner, je devais accepter, en effet, le nouveau quart de travail d'Alex – de quatre heures à minuit – ou avoir un chômeur comme mari. Je me fis donc une raison.

Ce lundi-là, 26 novembre 1979, avait commencé normalement. Un ciel bas et gris annonçait une chute de neige imminente. Toute la journée, l'impression que le froid voulait s'immiscer jusque dans mes os m'avait fait frissonner. Alex quitta la maison vers trois heures quinze de l'après-midi avec un de ses copains. Un problème mécanique empêchant notre voiture de démarrer, il se trouvait dans l'impossibilité de se rendre à l'usine par ses propres moyens. J'écoutais la radio d'une oreille distraite. J'étais incapable de me concentrer sur une activité intellectuelle, comme lire ou simplement réfléchir aux cadeaux de Noël que nous devions offrir aux membres de la famille. Je ne tenais pas en place. Je trouvai la maison bien silencieuse après le départ d'Alex. Jimmy était allé quelque part, je ne me souviens plus où exactement. Voulant mettre un terme à mon désœuvrement, j'entrepris de me mitonner un plat pour le souper. Manger toute seule ne m'inspirait guère mais je décidai de faire contre mauvaise fortune bon cœur. Il me fallut quelques minutes seulement pour venir à bout de la préparation de mon repas, lequel était constitué de pâtes disparaissant sous une épaisse couche de sauce tomate. Incapable de m'enlever de l'esprit combien l'atmosphère de la maison aurait été différente si Alex avait été là, je mangeai du bout des lèvres. Le ressentiment m'habitait. Ma solitude passagère, associée aux petites habitudes hypothéquant déjà notre vie quotidienne, affectaient mon humeur. Je n'avais que dix-huit ans, après tout! À cet âge-là, il y a d'autres choses à faire que de rester à la maison. Combien j'aurais aimé avoir Alex près de moi, pour lui parler, passer ma main dans ses cheveux, faire des projets... Je tentai de me ressaisir, mettant ce brusque vague à l'âme sur le compte de l'automne. Sans succès. Vers quatre ou cinq heures, je me résignais à sombrer dans un vrai cafard lorsque Rébecca, ma nièce de dix ans, vint me tirer de la mauvaise passe dans laquelle je me complaisais avec, je l'avoue, une certaine délectation. Cette enfant était la bonne humeur même; heureusement, elle n'a pas changé. Sa seule présence suffit à me ramener à la surface. Elle prit congé un peu avant le bulletin d'information télévisée de dix-huit heures. Le cœur gros, je la suivis du regard lorsqu'elle traversa la cour arrière de l'immeuble et le stationnement menant chez elle. L'insouciance des enfants a de quoi rendre les adultes jaloux. Comme j'aurais aimé avoir son âge! J'avais proposé à Rébecca de me tenir compagnie pendant toute la soirée: «Si tu le désires, lui avais-je dit également, tu peux passer la nuit ici.»

Trouvant plaisante cette suggestion, elle appela ses parents afin d'obtenir leur permission. Sa mère la lui refusa.

Rébecca partie, je m'installai devant le poste de télé, espérant que l'intrigue d'un téléroman ou, mieux, d'un bon film viendrait à bout des idées noires que je sentais prêtes à bondir de nouveau sur moi. Je regardais l'écran sans le voir vraiment. Mes yeux suivaient l'action, mais mes oreilles demeuraient sourdes aux sons en provenance de la petite boîte au verre lumineux. Je me sentais flotter au-dessus de la pièce, étrangère aux meubles familiers et à l'atmosphère encore imprégnée de l'odeur d'Alex. J'ai dû sommeiller quelques minutes car, lorsque mes yeux rencontrèrent le poste de télé, le feuilleton que je regardais distraitement quelques minutes auparavant avait été remplacé par la photographie d'un homme dont le visage apparaissait de face et de profil. L'annonceur mentionnait que cet individu s'était évadé d'un pénitencier de la région de Montréal et qu'il était considéré comme dangereux. Étant donné mon humeur et la peur que j'éprouvais à ce moment-là, je forçai mon esprit à se concentrer sur l'écran. Le type mesurait un mètre quatre-vingts; il avait les cheveux noirs, portait une barbe et son poids était de quatre-vingt-cinq kilos.

Les policiers lancés à sa poursuite avaient retrouvé sa trace dans le village voisin, aussi bien dire à deux pas de chez moi... Je n'aimais pas cela du tout. Réveillée pour de bon, je me levai et tentai de m'occuper du mieux que je pouvais. J'en terminai avec les plats qui traînaient encore dans l'évier avant de passer un coup de chiffon sur les meubles du salon. Une fois ces tâches accomplies, je retournai m'asseoir devant la télé, essayant d'éloigner de mon esprit le visage de l'individu recherché. Vers huit heures, je décidai de me mettre au lit en espérant trouver rapidement le sommeil. Alors que je gagnais ma chambre en sortant de la salle de bains, je croisai Jimmy. Le frère d'Alex venait juste de rentrer en compagnie de sa petite amie. Tous deux semblaient de très bonne humeur; un bref instant, je songeai à finir la soirée avec eux mais je me ravisai, craignant de ne pas être d'une compagnie très agréable. Je leur dis bonsoir puis, plus par réflexe que par souci de sécurité, j'effectuai une ronde dans les diverses pièces de l'appartement, prenant soin de verrouiller au passage la porte principale. Je négligeai de fermer à clé celle donnant sur la cour arrière, puisque Jimmy aurait à l'utiliser plus tard dans la soirée lorsqu'il raccompagnerait sa petite amie chez elle. Ici et là j'allumai quelques lampes, afin de ne pas me sentir trop désorientée au cas où j'aurais à me lever au cours de la nuit. Contrairement à ce que je craignais, je m'endormis rapidement. Après tout, j'étais en sécurité, j'étais chez moi, des gens veillaient sur mon sommeil. Alex rentrerait dans quelques heures, reclus de fatigue. Il se réfugierait contre mon corps, peut-être ferions-nous l'amour et en résulterait-il un premier enfant de cette union... Ensuite, la vie reprendrait son cours, lent et triste.

*\*\**

*Je me vois en train de dormir. Mon corps repose sur le dos, prisonnier du sommeil. Je pourrais me croire morte si ce n'était ce léger mouvement de va-et-vient qui soulève ma poitrine. Le rythme de ma respiration est à peine perceptible. Je dois rêver car mes paupières sont agitées. Mes avant-bras sont relevés de chaque côté de ma tête, laquelle repose entre deux oreillers recouverts d'un tissu froissé. Je reconnais cet ensemble de literie doux au contact et chaud, qu'une tante a placé dans mon trousseau de mariée quelques mois auparavant, et que j'utilise comme draps lorsque le temps est à la neige. Je bouge, d'abord lentement puis avec plus d'aplomb. Je suis sur le point de me réveiller. Un bruit sec, en provenance de la porte d'entrée donnant sur la cuisine, vient de me ramener à la vie.*

*\*\**

Je tends l'oreille. Ce sont des pas. Ils se dirigent vers ma chambre. Alex est enfin de retour. Mon regard ensommeillé fixe la pendulette électronique. Les chiffres rouges m'observent comme les yeux d'une chouette. Ils indiquent minuit dix. Tiens, Alex rentre plus tôt que prévu, il est en avance d'au moins vingt minutes. Probablement une panne à l'usine... Ce genre de chose arrive fréquemment ces temps-ci. Les pas se rapprochent. Instinctivement, j'essaie de deviner les contours de la porte dans l'obscurité enveloppant la chambre. Réveillée pour de bon, j'amorce un mouvement destiné à me tirer du lit. En même temps que mes pieds touchent le sol (le revêtement est froid, je frissonne) j'entends jouer le mécanisme de la poignée. Une ombre se dessine dans l'encadrement de la porte. Ce n'est pas Alex.

— Jimmy? Jimmy, c'est toi?

Une vague de terreur me submerge. Ce n'est pas Jimmy. Le frère d'Alex n'a rien à voir avec cette ombre gigantesque qui fait irruption dans ma chambre et se dirige vers mon lit sans hésitation.

— Alex?

Je sais aussi que ce n'est pas Alex. J'ai prononcé le prénom de mon mari seulement pour me rassurer, pour conjurer le mauvais sort. Quand le Démon fait irruption dans votre vie, vous êtes prêt à tout, même à croire en la magie d'un simple prénom, pour éloigner le Mal de vous. Malgré l'obscurité et la rapidité avec laquelle la scène se déroule, je crois reconnaître quelque chose de vaguement familier dans cette silhouette qui fonce sur moi. Je songe un instant à m'évanouir, mais je suis incapable d'ordonner à mon cerveau de me rendre inconsciente. Mes yeux parviennent à percer l'obscurité et, d'un seul coup, l'association se fait entre la forme en train de se mouvoir à moins de deux mètres de mon lit et la photographie diffusée par la télé au début de la soirée. Le type en cavale, celui qui a faussé compagnie à ses gardiens est là, dans ma chambre! J'ouvre la bouche pour hurler ma terreur. Aucun son ne sort de ma gorge. Paralysée. Je suis paralysée.

C'est ridicule. Mes muscles refusent de répondre aux sollicitations de mon cerveau. Le court-circuit s'est produit, mais ce n'est pas le bon réseau de nerfs qui a été touché... Je dois rester calme, éviter de poser un geste susceptible d'être mal interprété. Gagner du temps. Jimmy est certainement rentré. Alex ne tardera pas. Ce cauchemar sera terminé avant d'avoir commencé. Toutes ces réflexions se bousculent dans ma tête à la vitesse de la lumière. L'ombre a stoppé sa progression. Elle m'observe. Mes orteils reposent toujours à plat sur le parquet. Je dois donner l'impression d'une petite fille sage prise pour une rare fois en défaut et qui attend d'être réprimandée. Mes yeux se portent vers la fenêtre... Impossible de tenter quoi que ce soit de ce côté, je n'aurai pas fait un pas que ce type m'aura sauté dessus!

— Tu rentres bien tôt, Alex...

Finalement, j'ai retrouvé l'usage de la parole. Les mots sont sortis de ma bouche sans que je m'en rende compte. Réflexe de survie, sans doute. Je dois faire croire à cet homme que je ne suis pas encore vraiment réveillée. Chaque minute, chaque seconde comptent.

— Alex? T'as déjà fini de travailler?
— Mouais...
— Jimmy est-ti revenu?
— Non.

Ce n'est pas la voix d'Alex. Celle-là possède une intonation plus basse. Si j'ai besoin d'une confirmation, je viens de l'avoir: cet homme n'est pas mon mari. Pas plus qu'il n'est Jimmy. *Jimmy, viens à mon secours, je t'en supplie!* L'ombre poursuit sa progression vers l'autre côté de mon lit double. En allongeant le bras, l'homme pourrait me toucher. Je sens une odeur étrangère, mélange de sueur et de vêtements restés trop longtemps dans un placard. Un bruit sec, ressemblant à la boucle de métal d'un ceinturon touchant le sol, parvient à mes oreilles. *Oh! mon Dieu! Non! Faites que cela n'arrive pas!* Nus, mes membres sont saisis d'un tremblement convulsif. Je sens un liquide salé sur mes lèvres. Je transpire et j'ai froid en même temps.

— T'as l'air fatigué, Alex; tu dois t'endormir?

Ma voix se répercute sur les murs de la chambre comme sur la dalle d'un tombeau. Pas de réponse. Je fais mine de me lever.

— Il faut que j'aille à la salle de bains. Je reviens tout de suite.

J'essaie de l'avoir au bluff. On ne sait jamais... Une fois dans le corridor, je tenterai de m'enfuir par la porte de service donnant sur la cour arrière, qui est tout près de celle de ma chambre. J'ai l'intention de crier tellement fort que Jimmy se réveillera. Je rassemble mon courage avant de poser le geste qui mettra fin à cette scène que je crois tirée d'un mauvais film. Je dois absolument risquer le tout pour le tout avant que la situation se détériore vraiment. Juste au moment où je me décide à passer à l'action, une main rugueuse, froide, entre en contact avec la peau dénudée de mon épaule. Instinctivement, je pousse un cri qui me paraît ridiculement faible vu les circonstances. J'amorce un mouvement de retraite, glissant sur mes jambes en direction de la tête du lit. Je me sens de plus en plus ridicule.

— Où est-ce qu'y est, mon mari?
— Parle pas trop fort, me répond l'individu.

— Laisse-moi tranquille! Va-t-en!
— Ton mari est-ti icitte?

Cette voix me donne la chair de poule. L'homme s'est avancé. Il me surplombe de toute sa taille.

— Qu'est-ce que tu veux?

Pas de réponse. Le silence est plus effrayant que la voix de l'intrus.

— Alex? Si c'est une plaisanterie, je ne la trouve pas très drôle!

Toujours pas de réponse. J'ai l'impression que le temps s'est arrêté. Ce bruit, est-ce que ce sont mes dents qui claquent?

L'homme ne bouge pas. Incapable de réagir autrement, je répète sans cesse le prénom de mon mari. Je sens des sanglots dans ma gorge. J'ai peur, je ne veux pas que cela se voit. Je ne tiens pas à ce que ce type se repaisse de ma peine en me voyant pleurer. Deux mains puissantes saisissent mes chevilles. Je sens mon corps glisser brusquement sur les draps. Je me promets de ne plus jamais coucher nue. L'ombre se précise, elle s'étend sur moi de tout son long. Un poids énorme m'écrase. Non! Pas ça!

— S'il vous plaît, touche-moi pas, fais-moi pas de mal.

L'homme, qui a enlevé sa chemise et gardé son pantalon, essaie, avec son genou, d'écarter mes cuisses. Son sexe, déjà dur, repose sur mon bas-ventre. Il tente de se frayer un passage malgré mes contorsions. La façon dont je lui résiste, au lieu de le surprendre, accroît son excitation. Je ne sais pas si l'envie de vomir qui me saisit est causée par ce que je suis en train de subir ou par l'odeur qui suinte de la peau de mon agresseur.

— Laisse-moi tranquille!

Pour toute réponse, je n'entends qu'un hahannement d'animal en rut.

— Je peux te donner de l'argent, si tu veux?

Je crois avoir touché un point sensible. Au-dessus de moi, l'homme ralentit son rythme. Le mouvement de ses hanches se fait moins brutal. Il paraît intéressé par la question.

— T'as d'l'argent? Icitte?
— C'est que... Non... je... je n'ai pas d'argent.

L'homme hésite, ne comprend pas. J'ai peur qu'il se fâche, alors je lance:

— Je peux te faire un chèque!

La phrase qui vient de s'échapper de ma bouche, avec une rapidité que le désespoir fait ressembler à un bégaiement, n'est pas terminée que je me rends compte de l'offre stupide qu'elle représente. Je ferme les yeux, espérant me confondre avec les draps et disparaître à jamais de la surface de la terre... ce qui ne m'empêche pas de me préparer au pire. Aussi bien en finir rapidement en tentant de rester en vie. J'attends l'inévitable en me disant que, quels que soient les sévices endurés, je survivrai à mon viol.

Qui ne vient pas.

L'homme semble préoccupé. L'ironie de la situation ne m'échappe pas. Après tout, peut-être serai-je en mesure de gagner suffisamment de temps pour permettre à Alex de revenir. Ou à Jimmy de se manifester enfin.

— Comment tu t'appelles, toé?

Le type a posé ses lèvres près de mon oreille. Sa voix est un souffle et son haleine sent l'alcool.

— Je... je m'appelle Line. Line Roussel...
— Quel âge que t'as?
— Dix-huit ans pis je viens juste de me marier.
— Avec qui t'es mariée?
— Avec Alex.
— Comment ça se fait qu'y est pas icitte?
— Y travaille de quatre à minuit.

La peur a engourdi mon esprit. Pourquoi lui

avoir révélé l'horaire d'Alex? Suis-je donc incapable de raisonner? Il sait maintenant à quelle heure mon mari sera de retour à la maison. Pourquoi ne lui ai-je pas fait comprendre qu'il avait tout son temps? Je suis idiote! Confirmant mon jugement, l'homme relâche quelque peu son étreinte; la partie inférieure de son corps repose toujours sur moi, mais je sens son poids glisser de ma poitrine sur le matelas. Il pose son coude droit sur les draps et consulte la pendulette électronique.

— Tu viens avec moé.
— Quoi?

En parlant, il s'est dressé sur ses jambes. Je devine les contours de son corps dans la demi-obscurité.

— Amène-toé. Vite!
— Mais...
— Fais ce que je te dis!
— Pourquoi tu veux m'emmener?
— J'ai pas le temps de t'expliquer. Viens, j'te ferai pas de mal.

Les questions se bousculent dans ma tête: s'il prétend qu'il ne veut pas me faire de mal, c'est qu'il a décidé de ne pas me violer, alors, il veut me prendre en otage. Pourquoi? Cela signifie-t-il que les policiers l'attendent dehors? Si tel est le cas, j'ai une petite chance de m'en sortir... La police a l'habitude de ce genre de choses.

Il se rapproche du lit, s'assoit comme un mari le fait avant de souhaiter bonne nuit à sa femme. Instinctivement, je m'éloigne. Il semble décidé à ne m'accorder aucune attention. Mes pieds touchent de nouveau le plancher, je me penche, cherchant fébrilement mes vêtements. Mon souffle est court, j'ai l'impression d'étouffer. De l'air, il me faut de l'air... Alors que mes doigts entrent en contact avec le t-shirt que j'ai laissé tomber près du lit, mon agresseur revient à lui.

— Laisse faire ton linge.
— Quoi!
— Envoye!
— Laisse-moi prendre mes lunettes, au moins.
— T'as pas besoin de ça. Je veux pas, justement, que tu me voies.

La tension est aisément perceptible dans cette voix qui me semble, soudain, contenir toute l'inquiétude de la terre. Il a peur. Peur qu'Alex revienne ou que Jimmy... Jimmy où est-il celui-là?

Je reste dans mon lit espérant qu'il change d'idée et qu'il me permette de me rhabiller.

— Qu'est-ce que t'attends, crisse, pour te lever?
— Je ne peux tout de même pas sortir comme ça. Je suis complètement nue!

Involontairement, j'ai haussé le ton, m'exprimant avec une fermeté qui me surprend. Je sens que l'autre hésite. Il ne s'attendait pas à ce que je me comporte de la sorte.

— Parle moins fort!
— Je veux m'habiller!
— Pas question!

Sa voix est méprisante. Cette fois, c'est de la panique que je décèle dans ce ton qui m'ordonne d'obtempérer. Je conclus que j'ai tout intérêt à ne pas le contrarier. L'homme m'empoigne durement par le cou et les épaules et me pousse devant lui.

Je baisse la tête. Inutile de discuter, cette brute est prête à tout. Au moins, Jimmy est sauf, il doit attendre une bonne occasion pour intervenir ou pour appeler la police. Dans la maison, tout est calme. Pas un bruit, à l'exception du bourdonnement régulier du réfrigérateur. Voyant à peine dans l'obscurité, que seul vient perturber l'éclairage diffus du lampadaire devant la maison, j'avance telle une somnambule. J'avais pourtant allumé quelques lampes avant de me coucher. Je n'ai même plus envie d'appeler au secours. Jimmy ne viendra pas mettre un terme à tout cela, c'est certain. Bizarre, mais ce constat me laisse complètement froide. Il a dû arriver quelque chose à mon beau-frère. Cependant, je refuse de croire que c'est la peur qui le paralyse à ce point. On n'abandonne pas quelqu'un dans un pétrin pareil!

Nous passons devant la chambre de Jimmy; la

porte, entrouverte, ne laisse rien deviner de ce qui pourrait se passer à l'intérieur. J'essaie de percevoir un signe de vie. Rien. Il n'est sûrement pas revenu.

Nous sortons par la porte de service. La cour arrière repose dans le noir. L'éclairage de la rue est trop faible pour se rendre jusqu'ici. Je sens le souffle de sa respiration dans mon cou et je ne sais pas si c'est cette proximité, ou le froid, qui me fait frissonner. Le sol est glacial mais, assez curieusement, ce contact me rassure. *Allons, je suis encore en vie, rien n'est perdu.* Il passe son bras sur mes épaules en me retenant fermement.

— Stop!

Docile, je m'arrête. Devant nous, je devine l'amoncellement de bois qui m'est devenu familier depuis que nous demeurons ici. Peut-être parviendrais-je à m'y dissimuler si j'arrivais seulement à me rendre jusque-là? Mais je chasse cette folle pensée de mon esprit à la seconde même où elle se manifeste. La rivière est trop près. Si je rate mon coup, il pourrait prendre envie à l'homme, qui se tient à quelques centimètres derrière moi, de se débarrasser de son otage et de me pousser dans l'eau froide.

— Reste là.

L'ombre me dépasse, avance de quelques pas,

semble hésiter puis rebrousse finalement chemin. Le mouvement a été extrêmement bref. Le temps que je réalise ce qui se passait, l'homme reprenait position dans mon dos. Je comprends, tout à coup, que, un instant désorienté, il avait pris la chance de me précéder afin de faire le point.

— Avance et surtout arrête-toé pas!

Nos pas se confondent dans l'herbe haute presque gelée. Je n'ai pas vu aucune arme mais je suis sûre qu'il en a une sur lui. Un couteau? Un revolver? Nous marchons en direction d'une automobile, une grosse américaine d'un modèle récent, dont la couleur sombre se marie avec la nuit. À environ cinq mètres de la voiture, un pan de lumière vive illumine la fenêtre de l'appartement devant lequel nous venons de passer. Je tourne légèrement la tête, espérant que mon mouvement passera inaperçu. Mon impression est confirmée: c'est l'appartement de Simon qui s'ouvre ainsi à la vie. Si le plus jeune de mes beaux-frères n'a pu réagir à temps, Simon, lui, aura sans doute le bon réflexe d'alerter les policiers. Après tout, rien n'est perdu. Il me reste encore une chance de m'en tirer. *Vite, Simon, appelle la police!* Mon avance se fait hésitante, ce qui ne passe pas inaperçu derrière moi. L'homme m'ordonne d'accélérer. Très rapidement, nous arrivons à l'auto. Au loin, je reconnais Simon debout, immobile, derrière la fenêtre de son appartement. *Il m'a vue, merci, mon Dieu, il m'a vue!* Tout ce que j'espère, c'est que la forte lumière en provenance de son appartement ne l'aura pas empêché de suivre l'essentiel de nos mouvements dans la cour noyée d'obscurité. *Il m'a reconnue, Simon m'a sûrement reconnue. Il se dira certainement qu'il y a une sacrée bonne raison pour que sa belle-sœur se balade complètement nue, la nuit, en compagnie d'un individu louche. J'espère qu'il n'est pas en train de croire que je trompe Alex! Bon... du calme, Line, du calme...* Cette auto, là, stationnée parallèlement à la grosse américaine qui semble appartenir à l'homme en train de me kidnapper, c'est bien celle de Simon. Et ce tricycle abandonné, gisant sur le côté comme un petit animal blessé, c'est bien celui du gamin qui habite juste en face? Je dois me rattacher à la réalité sinon je vais devenir folle. Bientôt, j'entendrai derrière moi la voix inquiète de Simon qui me demandera ce qui ne va pas, si j'ai besoin d'aide. *Oui, j'ai besoin d'aide, oui j'ai besoin que quelqu'un vienne à mon secours. Et vite, sinon je risque de ne plus jamais poser les pieds dans cette maudite cour!*

— Monte.

Et voilà, tout est fini, terminé. Nous voilà près de la grosse américaine dont les chromes semblent me narguer. Le type ouvre la portière du côté du conducteur et me pousse à l'intérieur. Je suis au bord des larmes et je me demande si ce n'est pas la rage qui me pousse à pleurer. Comme j'aimerais être suffisamment forte pour étrangler ce type, pour le faire souffrir autant qu'il me fait souffrir... La colère et la terreur paralysent tous mes muscles. Je me rends compte que mes poings se sont refermés. Je me dis qu'il s'agit d'une vaine tentative pour forcer le destin à se montrer moins injuste à mon égard. Et si je le frappais, aveuglément et de toutes mes forces? Peut-être l'effet de surprise sera-t-il suffisant pour me permettre de m'enfuir? Les maisons sont éloignées mais je crois être capable de distancer cet homme. La peur ne donne-t-elle pas des ailes à ceux qui se retrouvent sous son emprise?

— Pousse-toé.

J'obéis sans penser à quoi que ce soit d'autre sinon à sauver ma peau. Je suis devenue un automate. Plus question de fuite ou de bagarre. Je me confine dans mon rôle de femme faible et pleurnicharde. Très profondément enfouie au fond de mon cœur, une petite voix me souffle à l'oreille que je ne serai plus jamais la même lorsque le soleil se lèvera enfin. Cet homme, je le sens bien, a tous les pouvoirs sur moi. La peur m'hypnotise. Il peut me commander n'importe quoi. Je ne veux que survivre à cet affreux cauchemar.

— Couche-toé sur l'siège, la tête vers moé pis regarde-moé pas. Je te défends de t'asseoir.

En se glissant derrière le volant, il pose ses doigts sur mes yeux, ce qui a pour effet de m'aveugler totalement. J'entends glisser la clé dans le contact. Aussitôt, le moteur se met en marche. La main posée sur le haut de mon visage m'empêche toujours de distinguer quoi que ce soit. Je me suis tassée le plus loin possible de lui, me collant à la portière avec l'intention de m'y incruster.

— Approche.

Je suis paralysée. Pour de bon, cette fois.

— Approche que j'te dis. Mets ta tête sur mes genoux. On va s'amuser un peu maintenant qu'on est tout seuls.

Il pousse l'embrayage, le moteur change de régime puis, doucement, la voiture se met à avancer. Sa main a quitté mon visage. La lueur du tableau de bord donne à ma peau nue une teinte verdâtre, maladive. Mes yeux essaient désespérément de deviner le paysage au-dessus de moi, mais le sommet des lampes de rue est tout ce que je parviens à distinguer. En sortant du parking, il a tourné à gauche, prenant la direction de la route régionale, c'est tout ce dont je suis certaine. L'odeur est atroce. Cette fois, les relents d'humidité et de peau mal lavée se mêlent aux odeurs artificielles d'essence et de pin. Avec un peu de chance, suis-je en train de me dire, je vais m'endormir et je mourrai asphyxiée... Je ferme les yeux en étouffant le sanglot qui me noue la gorge. Je pense ne plus revoir Alex, j'en suis même certaine. J'aurais aimé pouvoir lui dire une dernière fois que je l'aimais très fort mais je suis sûre maintenant de ne plus jamais en avoir la chance. Dans ma tête, je vois un déroulement continu d'événements, d'images qui se suivent les unes après les autres. Je revois en pensée le film de ma vie. Je n'y comprends rien, je n'ai jamais vu une pareille chose et je me demande bien pourquoi je vois cela maintenant, pourquoi à cet instant précisément? Je sais que je vais mourir, rien n'est aussi certain.

Nous roulons depuis cinq minutes et voilà que l'automobile ralentit pour finir par s'immobiliser complètement sur une surface de gravier. J'en conclus que nous venons de pénétrer dans la sablière, laquelle, si ma mémoire est fidèle, est située près de l'endroit où nous habitons. Une minute s'écoule, peut-être deux... L'automobile tourne au ralenti, tous feux éteints. L'homme est complètement immobile, je me demande s'il ne s'est pas endormi. Ce serait trop beau. Je n'ose bouger, ne serait-ce que le petit doigt. Des pensées épouvantables accentuent ma panique, mais une revient sans cesse: *il va me tuer, il va me tuer.* L'idée de me débattre ou de m'enfuir ne m'effleure plus l'esprit. La peur m'étouffe. Me voilà à la merci d'un évadé de prison, recherché par toutes les polices de la région. Mon kidnappeur est-il un voleur de banque, un abuseur d'enfants, un étrangleur? Qu'a-t-il fait pour mériter la prison? Je maudis la fatigue qui m'a empêchée d'être attentive lorsque, au début de la soirée, la photographie de ce type a été présentée à la télé.

— Assis-toé.

Il m'a parlé sur le ton de la conversation, comme si nous étions de vieilles connaissances. Surprise, un peu désorientée, j'obéis.

— Tu vas te tourner vers moé et écarter tes jambes.
— Non... Non... Fais pas ça! Fais pas ça!
— Fais ce que je te dis.

Voilà, nous y sommes. Il fallait bien en arriver là. Je distingue mal ses traits dans l'obscurité. Je crois comprendre qu'il garde le menton baissé. Peut-être n'ose-t-il pas me regarder dans les yeux, non pas parce qu'il craint que je le reconnaisse, mais en raison de la honte qu'il ressent. Les larmes inondent mes joues. À quelques centimètres de mon visage, je perçois un mouvement. L'homme se penche, sa main droite effleure mon entre-jambe, puis remonte vers le pubis. Sa respiration devient plus rauque, l'excitation monte en lui. Je me mords les lèvres pour ne pas hurler. Pendant que ses deux mains caressent mes seins, sa bouche entre en contact avec mon sexe.

J'ai fermé les yeux pendant tout le temps qu'a duré l'assaut. Je me suis efforcée de penser à autre chose, à des gens que je n'avais pas vus depuis longtemps, à mon enfance, à l'hiver qui serait bientôt là. À quoi songe-t-on quand on se fait violer? À rien, sinon à survivre.

Il s'est relevé, heurtant faiblement le volant avec son dos. Sa respiration est encore rapide, saccadée. Il évite toujours de croiser mon regard, même si l'obscurité est toujours aussi épaisse.

— Laisse-moi partir, maintenant. Je... je ne dirai rien.

Il semble perdu dans ses pensées. L'espoir refait brièvement surface. Il va enfin me permettre de quitter cet endroit maintenant qu'il a obtenu ce qu'il voulait. L'habitacle est froid. Je lève le regard, essayant de m'orienter. Au loin, la lueur diffuse d'une lampe de rue illumine chichement le sommet des arbres. Il s'agit bel et bien de la sablière. La route n'est qu'à quelques mètres de là. Il suffit qu'un automobiliste un peu curieux décide de venir voir de plus près ce qui se passe pour que cette aventure prenne fin. Je rêve encore. Même chez nous, dans ce petit village où tous se connaissent, les gens n'osent pas s'approcher, la nuit, d'une automobile immobilisée dans un endroit désert. On ne dérange pas les amoureux. À cette pensée, un sourire désabusé s'étire sur mes lèvres. Les gens ordinaires n'osent pas déranger les amoureux d'un soir dans leur automobile, c'est vrai. La police, si. Simon a peut-être eu le temps, il a eu le temps d'appeler les policiers! Ils vont surgir d'un instant à l'autre, ils arrêteront cet affreux individu et tout sera terminé en un clin d'œil. Un mouvement se dessine à côté de moi. Le type revient brusquement à la vie, ce qui ne signifie rien de bon. J'entends le bruit caractéristique d'une fermeture-éclair. Non, le cauchemar est loin d'être terminé. Il commence.

Il a fait glisser son pantalon sur ses jambes, puis son slip. En s'approchant de moi, il me dit, dans un murmure:

— Tu vas me prendre dans ta bouche.

Un immense, un effroyable sentiment de répulsion se répand en moi comme une marée de boue nauséabonde. Non, je ne pourrai pas faire cela. Jamais je ne me prêterai à une chose aussi immonde. C'est abject, dégoûtant et ignoble.

— Pour ta santé, ma petite, t'es mieux de le faire, pis de le faire comme y faut!

La voix est posée mais chargée de menaces. Je nage dans une mer de désespoir. L'envie de pleurer me reprend mais je me retiens, c'est ma seule victoire. Peu importe mes arguments, ce type sait ce qu'il veut et il ira jusqu'au bout pour l'obtenir. Je suis assise là, impuissante, obligée de me soumettre à ses ordres. En retenant mon souffle (l'odeur qui s'échappe de son corps est atroce) je me penche vers son sexe en érection. Je n'arrête pas de me dire qu'il faut que je sauve ma peau à tout prix.

La tourmente s'est emparée de mon esprit. J'éprouve des hauts-le-cœur, une incontrôlable envie de vomir me saisit. Je ne sais trop à quel moment, ni pour quelle raison, mais l'automobile a recommencé à rouler. Je veux mettre un terme au mouvement de va-et-vient auquel je suis soumise. L'homme, d'une pression de sa main sur ma nuque, m'ordonne de continuer. Je ne sais plus depuis combien de temps nous avons quitté la sablière, lui, essayant de se concentrer sur la route, moi, la tête enfouie entre ses jambes, ne sachant plus s'il fallait craindre davantage l'accident ou le moment qui verrait le liquide séminal se répandre dans ma bouche et sur mon visage. Humiliée. Je suis humiliée dans mon âme et dans mon corps, il n'y a pas de mots, il n'y en aura jamais d'assez forts pour décrire ce que je suis en train de vivre. Je n'éprouve que du dégoût et une haine sans borne pour l'individu qui vient de me priver à tout jamais du bien le plus précieux qui soit, le respect. Et cette route qui n'en finit plus. Où allons-nous? Quels traitements me réserve-t-il encore? Est-ce que je vais m'en sortir vivante? Y a-t-il d'autres types avec lui, qui l'attendent quelque part avec impatience? D'autres pensées me traversent l'esprit qui, toutes, accentuent ma panique. J'hésite entre l'assurance et un désespoir sans nom. Un instant, je me vois abandonnée, nue, en pleine forêt, qui me semble impénétrable à cet endroit, le moment d'après, je me dis que la mort m'attend après que j'aurai été violée par les complices de celui qui est en train de me kidnapper.

À bout de souffle, je ralentis le rythme. Le

répit ne dure que quelques secondes. La pression sur ma nuque devient douloureuse. Le brouillard s'empare encore de mon esprit. C'est tout juste si je suis à même de me rendre compte que, selon toute vraisemblance, nous avons croisé, au cours des minutes précédentes, l'automobile dans laquelle Alex prend place pour revenir à la maison. Je perds toute notion du temps. C'est mieux ainsi. Mon univers se résume à l'habitacle d'une voiture dans lequel s'entremêlent les effluves d'essence, celles émanant du vieux tissu recouvrant les sièges et une autre, du tabac refroidi, en provenance du cendrier débordant de mégots; une autre odeur, plus caractéristique, est omniprésente. Du pin. Je louche du côté du bras métallique commandant les feux clignotants. Là, à quelques centimètres de mon visage, j'aperçois, suspendu à l'extrémité d'une ficelle, une reproduction cartonnée d'un pin, comme celles que l'on vend dans les stations-service et qui correspondent à différents parfums naturels. Jamais plus je ne pourrai supporter cette odeur. J'ai mal à la tête, je ne sens plus les muscles de mes jambes. Mes cheveux reposent, épars, autour de mon visage en sueur; des mèches rejoignent les cuisses dénudées de mon agresseur. Dehors, la vie continue.

\*\*\*

Tandis que je m'interroge sur mon sort en essayant de ne pas succomber au désespoir, Alex, sur le chemin du retour, parle de choses et d'autres avec le collègue qui lui a proposé de le conduire à l'usine plus tôt dans la journée. L'auto roule lentement, presque avec précaution. La chaussée est humide et il est fréquent, à cette période de l'année, de voir de la glace se former dans des endroits les plus inattendus. L'appartement dans lequel nous habitons est situé à une dizaine de mètres d'une intersection comportant un arrêt obligatoire. Arrivée à cet endroit, la voiture ralentit, s'arrête complètement, puis reprend peu à peu de la vitesse. Seul le bruit du moteur vient maintenant troubler le silence qui s'est installé entre les deux hommes. Alex est devenu songeur, il se sent pris d'un drôle de pressentiment, dont il est bien incapable de déterminer la cause. La fatigue, sans doute, pense-t-il, tentant ainsi de se rassurer. Son quart de travail ayant été plutôt calme, il se dit qu'il a probablement besoin de repos. L'auto pointe enfin son nez en direction de notre terrain de stationnement. Alex ouvre la portière et, sur un «*bonsoir*» rapide qui se perd dans l'obscurité, il quitte la voiture. Sans attendre, il se dirige vers notre appartement. Son pas est vif, pressé. Du coin de l'œil, il aperçoit Simon et sa femme derrière la baie vitrée donnant sur leur salle de séjour. Leur physionomie n'a rien de rassurant. Alex n'a pas aussitôt pénétré dans l'appartement que son frère l'y rejoint. Ce dernier, devant le regard interrogateur qui l'accueille, lance:

— Alex, Line n'est pas là. Quelqu'un est venu la chercher, il y a quelques minutes.

— Qui? Mon beau-père? Dis-moé pas que la belle-mère est malade?

Simon baisse les yeux, puis, avec difficulté, lâche:

— Non. C'était un gars avec une barbe. Line marchait en avant et n'avait pas l'air dans son assiette.

Devant le regard étonné d'Alex, Simon ajoute, laconique:

— Elle était complètement nue...
— Quoi?

Les deux hommes s'observent. Je crois que c'est seulement à ce moment que Simon a pris réellement conscience de la situation dramatique dans laquelle il m'avait abandonnée.

— Bon sang, Simon! As-tu appelé la police?
— Non...
— Alors, qu'est-ce que t'attends?

Simon ne se le fait pas dire deux fois. Il se précipite sur le téléphone et, au même moment, un bruit de pas se fait entendre à l'autre extrémité du corridor. Immédiatement sur la défensive, les deux hommes portent leur regard dans cette direction. C'est Jimmy. Le visage décomposé qu'il présente en dit long sur l'état d'esprit qui l'anime.

Vêtu d'un simple caleçon, il rejoint ses frères et confirme les propos de Simon.

Les trois hommes se fuient du regard. Alex reprend peu à peu son calme, mais sa voix tremble lorsqu'il s'adresse à Jimmy:

— Ce gars-là était tout seul?

— J'sais pas. Je... j'ai pas inspecté les autres pièces de l'appartement. J'avais trop peur. J'aimais mieux t'attendre. J'suis allé sur le terrain de stationnement, j'ai regardé partout; j'étais certain que Line et le gars reviendraient. J'me suis même demandé si je rêvais pas.

— T'as eu peur, dis-le donc!

— Alex, je pensais que c'était toé qui rentrais du travail. Je venais juste de m'endormir... Lorsque je me suis rendu compte que c'était pas toé, y était trop tard, le gars était dans la chambre de Line.

— T'aurais pu te sauver, toé, pis aller donner l'alerte chez Simon!

— Je le sais, Alex, mais je te répète que j'étais mort de peur sous mes couvertures. Je savais pas quoi faire. Pis, même si je l'avais vu, j'aurais pas été capable. J'étais comme paralysé. Y faut que tu me comprennes. Je savais pas qu'il était tout seul, non plus.

— As-tu eu connaissance qu'il l'a battue?

— Non, je pense pas. J'ai rien entendu qui ressemblait à ça.

— Line, a pas crié au secours?

— Non, quand ils sont partis, ils parlaient tout bas.

— Je vous trouve ordinaires en maudit, ma femme part tout nue avec un gars, en pleine nuit, pis vous autres, vous laissez faire ça. Vous m'attendez au lieu d'appeler la police.

Alex cache son visage derrière ses mains. Tout, dans son attitude, trahit le désespoir qui l'habite. Il demeure ainsi de longues secondes qui paraissent des heures. Finalement, il lâche:

— Fouillons l'appartement. On n'sait jamais...

Armés d'une batte de baseball et de couteaux en provenance de la cuisine, ils se lancent dans une exploration prudente des pièces. Après deux minutes d'un manège d'abord circonspect, puis de plus en plus décidé, ils sont obligés d'admettre que l'appartement est vide. Tout ce que leur chasse leur a rapporté, ce sont quelques pièces de monnaie éparpillées sur le plancher, dans la chambre principale, et un bout de papier froissé auquel, sur le coup, ils ne prêtent aucune attention.

— Il faut que je la retrouve, bon sang!
— Calme-toé, Alex. La police va être ici dans deux minutes...

Simon a repris de son assurance perdue. Sa voix est plus ferme. Jimmy est allé s'habiller. Alex fait les cent pas dans la cuisine. Il va du comptoir-lunch à un placard servant à l'entreposage des conserves. Au passage, il assène un violent coup de pied à un vieux sac d'épicerie contenant des ordures prêtes à être expédiées à l'extérieur. Les détritus se répandent sur le carrelage avec un bruit de métal fêlé. Une boîte ayant contenu du jus de tomate, et sur laquelle le mot «Heinz» apparaît en grosses lettres rouges, atterrit sur la moquette du salon après avoir heurté le pied d'une chaise. Des gouttes de liquide rouge, qui ne sont pas sans rappeler du sang, marquent la trajectoire du contenant... Alex, qui marche, les poings serrés, présente le regard déterminé de quelqu'un qui veut régler le sort d'un adversaire, quelle que soit sa force. Simon, comme s'il avait fait cela toute sa vie, répare les dégâts.

— J'ai besoin de mon fusil! Les flics vont arriver trop tard, comme d'habitude. Lorsqu'ils retrouveront Line, elle sera bonne pour le cimetière. Je veux pas qu'a meure, tu m'entends. Je l'aime. C'est ma femme!

— Hé! là... Vas-y lentement, mon vieux! C'est pas ton boulot de partir après les bandits. C'est la job de la police. Ils retrouveront ben Line. Calme-toé.

— Je dois retrouver Line. Je dois absolument la retracer avant qu'il lui fasse du mal, tu comprends?

— Qu'est-ce que ça va te donner de partir après, t'as même pas vu l'agresseur, tu le reconnaîtrais même pas, en plein jour.

53

Tout près, le hululement sinistre d'une sirène de police perce la nuit automnale. Alex n'aura pas à se lancer aux trousses d'un inconnu avec le fusil de ce pauvre Simon, incapable de faire la différence entre un rapt et une balade au clair de lune. Les flics seront bientôt là, avec leurs experts, leurs chiens-pisteurs, leurs fichiers informatiques... Comme à la télé, l'héroïne sera sauvée dans les dernières minutes.

***

J'essaie de lire l'heure sur le bracelet-montre de l'homme qui conduit avec le détachement typique aux chauffeurs de taxi, dont la vie s'est passée entièrement derrière un volant. Je ne suis pas assez rapide. Le type a déposé son avant-bras sur sa cuisse, mais le temps que je me décide à bouger la tête, il s'est remis à la conduite à deux mains. J'entends le bruit caractéristique du clignotant. Tic... tic... tic... Mon visage est humide et les larmes n'y sont pour rien. D'ailleurs, voudrais-je pleurer que j'en serais bien incapable. Je pense à Alex. Il est certainement rentré à l'heure qu'il est. A-t-il informé la police de ma disparition? J'espère que personne ne sera assez stupide pour oser croire à une fugue! Et mes parents, dorment-ils toujours, inconscients du danger auquel leur fille est exposée, ou viennent-ils d'apprendre, eux aussi, que j'ai été enlevée? Pendant que ces questions m'empêchent de trop m'attarder à ce qui s'est produit quelques minutes auparavant, l'auto ralentit, amorce un virage à droite et reprend de la vitesse. Nous roulons plus lentement. Je conclus que nous venons d'arriver à l'endroit que cet homme a prévu pour terminer sa besogne, lorsque l'auto, après avoir ralenti une nouvelle fois, stoppe définitivement. Le contact coupé, un silence que nul bruit ne vient troubler, à l'exception de ma respiration qui est devenue rauque, s'installe dans l'habitacle. Avant même que je ne réalise ce qui se passe, la portière du côté du conducteur s'ouvre grand. L'homme s'éjecte de la voiture comme un diable de sa boîte. Il semble saisi d'une frénésie qu'il ne songe nullement à contrôler.

— On est arrivés. Sors de là.

J'obéis sans songer à me plaindre. Cet homme ne semble pas d'humeur à entendre mes jérémiades et je ne tiens surtout pas à provoquer sa colère. Combien de temps avons-nous roulé? Une demi-heure, une heure? Non, pas autant que cela. Nous devons être dans un rayon d'une trentaine de kilomètres autour de la maison. Avec de la chance, les policiers me retrouveront cette nuit...

Il n'a pas oublié la prudence, puisqu'il agit encore de manière à ce que je ne puisse identifier ses traits. C'est un signe encourageant. S'il se comporte ainsi, c'est qu'il ne veut pas me tuer. Une vingtaine de mètres devant moi, en ombres chinoises sous la voûte étoilée, se dessinent les contours d'une petite habitation au toit pointu. Un chalet suisse. Je fouille dans mes souvenirs. Non, je ne suis jamais venue dans cet endroit. Sur ma droite, dans la direction d'où le vent souffle, je devine une vaste étendue d'eau. Nous sommes bel et bien dans un lieu de villégiature. Malgré l'obscurité, je dois essayer de fixer dans mon esprit le plus de détails possible de ce paysage, afin d'être en mesure de l'identifier plus tard. Il ne semble pas y avoir d'autres habitations dans les environs. Il a bien choisi son repaire... Ces réflexions n'occupent pas seulement mon esprit, elles me rassurent également: je n'ai pas perdu mon sang-froid, je suis toujours capable de penser de façon ordonnée, logique. Il faut qu'il en soit ainsi tant que ce gars me tiendra en son pouvoir. Ne pas succomber à la panique. C'est essentiel.

Une barrière en bois dont l'extrémité supérieure m'arrive à la taille bloque l'accès à la propriété. Incertaine quant à l'attitude à adopter, j'arrête à moins d'un mètre de l'obstacle, pour me faire aussitôt rappeler à l'ordre.

— Dis-moé pas que t'as jamais sauté une barrière?
— J'ai peur de me blesser.

Les derniers mètres (cette partie du sentier est recouverte de cailloux aux arêtes effilés) ont représenté une véritable torture pour mes pieds. Je crains d'atterrir trop brutalement de l'autre côté de la clôture et de me blesser de façon irrémédiable.

— Attends, je vas t'aider.

Je n'ai pas le temps de protester. Avant même d'avoir fini sa phrase, il me saisit par la taille et, en se servant de l'une de ses jambes comme levier, il me hisse au-dessus de la barrière, me permettant ainsi de la franchir sans difficulté. Avant de me poser sur le sol, il effleure mes mamelons avec l'extrémité de ses doigts en gloussant de satisfaction. Je suis au-delà du simple écœurement. Je prends note, quelque part dans mon cerveau, de cette nouvelle agression, quitte à essayer de l'oublier plus tard lorsque ce calvaire sera enfin terminé. Les derniers mètres sont franchis à grandes enjambées. Mince consolation, ce qui me paraît être du gazon a remplacé les gravillons. Parvenue sur le perron, je suis obligée de tourner le dos à la porte principale pendant qu'il s'escrime sans succès sur la serrure. Je distingue à peine la ligne des arbres marquant le début de la forêt. L'endroit me paraît plus isolé que je l'avais estimé à notre arrivée. Personne ne me retrouvera jamais ici, c'est le lieu idéal pour commettre un meurtre et se débarrasser d'un cadavre! Le fil de mes pensées moroses est brusquement interrompu par un bruit de verre brisé. Je sursaute avant de réaliser que, dans l'impossibilité de venir à bout de la serrure, il a cassé un carreau afin de pouvoir actionner le verrou de l'extérieur. L'homme n'est pas au bout de ses peines car, dès le premier obstacle franchi, il constate qu'une autre porte, également fermée à clé, bloque l'accès à l'intérieur du chalet. J'entends un chapelet de jurons s'égrener derrière moi. Je fixe toujours le rideau sombre de la forêt. Tenter de m'enfuir et de me perdre dans le noir? Je n'aurai pas fait deux mètres qu'il m'aura rattrapée. Et si jamais j'ai la chance de me rendre jusqu'à la clôture, mes pieds nus, déjà douloureux, ne parviendront jamais à me faire franchir le sentier au complet. Je commence à réaliser que j'ai froid, lorsqu'un fracas de fin du monde vient troubler le silence de la nuit. Sans le vouloir, je me retourne et constate que la baie vitrée occupant la moitié de la devanture du chalet a été réduite en miettes. Le type se présente de dos, je ne peux donc voir son visage. Je reprends ma position avant qu'il s'aperçoive que je l'observe.

— On a pus besoin de clé astheure!

Le ton est détaché. S'il s'attend à ce que je l'approuve, il se trompe. Soumise à une peur panique incontrôlable, je tremble comme une feuille dans la tempête. Une main me saisit par la taille, puis me force à pivoter. J'entends la voix joyeuse de mon harceleur, qui me dit, presque gentiment:

— Tu vas rentrer en dedans pis je vas te suivre. Il n'y a pas de peur à avoir, j'ai enlevé la vitre qui restait attachée au cadre. Vas-y lentement.

J'hésite et je sens une main ferme sur mes reins, qui m'oblige une fois de plus à avancer. Quitter la véranda pour l'intérieur du chalet ne représente aucune amélioration de mon sort. Je sens un mouvement derrière moi. Je ne suis plus seule dans ce qui me paraît être le coin-cuisine, mon tourmenteur m'a rejoint. Une lueur aux reflets incertains, en provenance de ce qui doit être le salon, m'indique qu'un téléviseur est en marche. Cette mesure de précaution des propriétaires pour éviter que des cambrioleurs pénètrent dans leur chalet ne semble guère avoir porté fruit... Je reste là, sans bouger, incertaine. Je trouve que j'ai l'air idiote, je me prends en pitié et je vendrais mon âme au diable pour que ce cauchemar prenne fin.

— Regarde par la fenêtre pendant que je passe en arrière de toé.

J'obtempère sans discuter. À quoi bon tenter de résister, puisque même Dieu m'a oubliée. Les muscles de mes cuisses me font terriblement souffrir. Tout à l'heure, en enjambant le cadre de la fenêtre, j'ai été obligée d'allonger démesurément la jambe pour éviter de poser le pied sur le verre brisé. Je crois bien que, en effectuant ce mouvement, j'ai dû me blesser sans m'en rendre compte. L'homme n'a pas à se soucier du verre. Il avance rapidement dans la cuisine et, sous ses chaussures, ce qui reste de la baie vitrée explose en centaines de fragments minuscules. Arrivé au poste de télé, il actionne le bouton de commande. La lueur inondant chichement l'intérieur du chalet disparaît immédiatement.

Au loin, à une distance qui me paraît assez éloignée de l'endroit dans lequel nous nous trouvons, me parvient, assourdi, le furieux aboiement d'un chien. Cette propriété a beau être isolée, elle fait tout de même encore partie du monde civilisé; quelque part, à un kilomètre d'ici, peut-être moins, il y a des gens qui dorment ou qui se préparent à se mettre au lit après une soirée agréable passée devant la télé ou à recevoir des amis... Le solo d'aboiements dure encore quelques instants, puis finit par s'éclipser pour de bon. Le silence reprend possession de mon environnement. Seule, me voilà vraiment seule; cette fois, il est vain d'espérer une quelconque intervention extérieure. Je dois me faire à l'idée qu'il est inutile de tenter une sortie. L'important, c'est d'essayer de ne pas me laisser emporter par la panique qui, maintenant que je prends réellement conscience de ma situation, menace de me rendre folle.

— Je dois être sûr qu'y a personne.
— S'il y avait quelqu'un ici, on s'en serait aperçu.

Pour toute réponse, il saisit mon avant-bras et, en prenant bien soin de demeurer derrière moi, il me pousse en direction du salon.

— Obéis, j'ai pas de temps à perdre.

Après le salon et la cuisine, nous empruntons un corridor qui mène à un placard. Personne. Ce chalet ne compte pas plus de trois ou quatre pièces, incluant la salle de bains. Dans la chambre à coucher du rez-de-chaussée, laquelle donne sur la cuisine, il semble hésiter devant le lit puis, sans avertissement, il m'oblige à revenir à notre point de départ. Les muscles de mes cuisses me font horriblement souffrir. De l'endroit où nous sommes, je distingue les premières marches d'un escalier en colimaçon grimpant au premier. Comme s'il lisait dans mes pensées, mon obsédé me souffle à l'oreille:

— Monte!

Pas de chambre, là-haut. La pièce, d'un seul tenant, sert de mezzanine et, probablement, de salle de lecture, si j'en juge par le nombre imposant de revues et de livres garnissant une bibliothèque improvisée avec des planches de pin et des briques. Au milieu trône un divan-lit qui, d'après ses dimensions, est réservé à l'usage d'un enfant.

— J'étouffe, icitte. Viens, on retourne en bas!

En descendant l'escalier, je me fais l'impression d'une condamnée à mort. J'avance lentement. Trop, au gré de mon bourreau, qui m'ordonne d'accélérer. Nous voilà devant la porte ouverte de la chambre à coucher du rez-de-chaussée. J'avance avant d'en avoir reçu l'ordre. Je sais ce qui m'attend et j'agis en conséquence.

— Couche-toé là.

L'humidité, sans doute en raison de la literie, est plus difficile à supporter dans cette chambre. Je suis transie, je sens à peine mes orteils; l'extrémité de mes doigts est engourdie. Au mouvement qui se dessine dans l'obscurité, je déduis que mon tortionnaire est en train de se déshabiller. Cette impression est bientôt confirmée par la présence d'un corps nu près du mien. Un frisson court de mes reins à ma nuque sans que le froid y soit pour quelque chose. Cette pièce n'est pas seulement humide, elle manque d'aération. J'étouffe. Par réflexe, je tire une couverture sur mon corps dénudé. Je ne sais pas si ce geste est motivé par le souci de me protéger du froid ou s'il s'agit d'une tentative puérile pour mettre un écran, même symbolique, entre cet homme et moi.

— Tu vas recommencer, je veux que tu me prennes encore dans ta bouche.
— Non, c'est assez maintenant. Laisse-moi partir!
— Pas tout de suite, plus tard... si t'es gentille.

Il parle lentement, comme s'il s'adressait à un enfant.

— Tu vas t'y remettre. Je veux que tu me serves le même hors-d'œuvre que tout à l'heure dans la voiture, mais cette fois, t'as intérêt à te concentrer. Mets-toé bien dans la tête que nous sommes seuls, que personne ne viendra à ton secours; alors fais ce que je te demande! C'est mieux pour toé.

Je ne bouge pas. Est-ce la peur qui me paralyse ainsi? À moins que ce ne soit le froid... Pourquoi m'abaisser encore? Je préfère mourir. Le cynisme de cet individu est imperméable à toute pitié. Comment de tels êtres peuvent-ils voir le jour? Je pleure encore et encore.

— Hé! Si tu te mets pas à l'ouvrage tout'suite, y me reste seulement à te couper le cou avec d'la vitre. C'est-tu clair?

Je n'ai rien entendu de ce qu'il a dit après sa menace de me découper avec un éclat de verre. Choquée au-delà de toute expression, je me plie à son désir. Je suis tellement frigorifiée et à bout de nerfs que, involontairement, je serre les dents. Un aïe! dans lequel je devine autant de surprise que de colère parvient à mes oreilles. D'un coup de rein, il se retire de ma bouche.

— Crisse! R'fais pus jamais ça!

Il marque un temps d'arrêt et je me dis qu'avec un minimum d'efforts je pourrais l'entendre réfléchir. Mon sort se joue en ce moment même. Je suis consciente de la précarité de ma situation, mais je me dis aussi qu'il se méfiera de moi à l'avenir. Désormais, cet individu ne devrait plus me considérer comme une malheureuse brebis sans défense. Fataliste, je constate que le jeu auquel je viens de m'abandonner est dangereux quoique, d'une certaine manière, un équilibre vient d'être rétabli.

— Fais-moé l'amour.

Pourquoi une si belle expression paraît-elle tellement odieuse dans la bouche d'un homme en train de commettre un viol? Dédaigneuse, je m'installe à califourchon sur son ventre. Pas question de caresses ou de baisers, encore moins de poser un geste susceptible d'être interprété comme une invite. Son sexe en érection repose sur le mien; ses hanches amorcent un mouvement de va-et-vient. Il s'adonne à ce manège pendant quelques minutes, puis, incapable de se contenir plus longtemps, il saisit son pénis dans sa main droite et le dirige vers mon bas-ventre. Il me pénètre aussitôt avec une force brutale. Le rythme de ses hanches s'accélère, ses doigts, fermement agrippés à mes cuisses, me font penser aux serres d'un oiseau de proie. Juste au moment où je devine qu'il va jouir, il m'ordonne de l'embrasser. Le sentiment de révolte et de répugnance qui m'habite m'interdit de poser mes lèvres sur les siennes. Je me penche, touche son cou avec ma bouche et, aussitôt, une forte odeur de tabac et d'alcool me saisit à la gorge. Atroce, tout ceci est atroce.

— Embrasse-moé sur la bouche.

À sa respiration, je conclus que, très bientôt, il ne pourra plus contrôler son désir. J'essaie de faire comme si je n'avais rien entendu mais c'est peine perdue. Sur un ton sans réplique, il exige d'être embrassé. Je m'exécute, forcément. Jamais, de toute ma vie, je n'aurai été aussi servile. Il se rend compte très rapidement de mon absence de passion et de désir.

— T'embrasse comme une enfant. Quel âge que t'as donc! J'aurais pas pu tomber sur une plus vieille que ça.

Il veut m'abaisser et me ridiculiser. J'ai compris son message et je me réjouis intérieurement de son insatisfaction.

Par la suite, il s'étend sur moi. Il me presse contre lui, je reste là, apathique, sans rien dire. Je ne ressens plus rien. L'espoir, la tristesse, la peur, tout s'est envolé. Dans ma tête, c'est le néant, je me momifie. Je suis devenue sa poupée de chiffon. Il me pénétre en soulevant mes bras afin que je caresse son corps nu, mais je n'en fais rien, je reste étale. Il poursuit le coït en me reprenant les mains dans le même but, mais je garde les bras allongés de chaque côté de mon corps. Malgré son désir que je me joigne à lui afin de le satisfaire, je reste inerte jusqu'à la fin de la relation sexuelle. Comme une morte. En même temps que sa langue perce le mur de mes lèvres, sa semence se répand en moi. En silence, je pleure, souillée à tout jamais.

***

Il reprend son souffle, son corps collé au mien. Je suis au-delà de tout sentiment. Mes yeux fixent le plafond dans l'obscurité. J'essaie de trouver un sens à tout cela. Peut-être le destin veut-il me mettre à l'épreuve...

— Tu manques d'expérience. J'ai pas fait une bonne affaire avec toé.

Je savoure cette remarque, qui se veut une insulte, avec une satisfaction que j'arrive à peine à dissimuler. Ainsi il est déçu. Je ne sais trop pourquoi, cette victoire, aussi infime soit-elle, me redonne espoir dans mes possibilités. En fin de compte, je n'ai pas succombé à la tentation de lui donner ce qu'il désirait par-dessus tout: une satisfaction d'ordre sexuel qu'il aurait pu assimiler, en fantasme, à de l'amour. Ce gars-là est un pauvre type. Il me fait pitié. Un grincement en provenance du sommier me ramène à la réalité. Dans ma situation, je ne peux pas me payer le luxe de faire la fine bouche.

— Viens, on remet ça!

Il s'allonge sur mon corps et je sens de nouveau son excitation. J'ai atteint un point de non-retour. L'apathie dont je fais preuve le laisse complètement indifférent. Écartant mes jambes avec son genou, il place ses mains sur mes fesses, les soulève, et me pénètre d'une manière aussi brutale que la première fois. Une fois satisfait, il reprend position à mes côtés; son souffle revient graduellement à un rythme régulier.

— T'as frette?
— Oui... non.
— Alors, pourquoi tu trembles comme ça?
— J'ai peur, j'ai très peur. Ça se voit pas?
— Je peux allumer le poêle...
— Non, j'y tiens pas. Je veux m'en aller.

Il se lève, hésite, puis finit par quitter la chambre. De la cuisine me parviennent des bruits significatifs: bûches que l'on déplace, plats en métal raclant une surface elle aussi en métal, assiettes bousculées. Un véritable raffut. Le tapage dure quelques minutes puis s'interrompt. J'entends des pas qui reviennent dans ma direction et, presque au même instant, l'ombre est de retour. Elle se glisse sous les draps en frissonnant.

— Il y a tout ce qu'il faut pour faire un feu, mais j'ai pas trouvé d'allumettes.

Emportée par le flot turbulent de mes pensées, je n'ai rien entendu. Je revois Alex, le seul à qui je me sois donnée entièrement, celui à qui j'ai promis amour et fidélité jusqu'à mon dernier souffle. Fidélité... Un sentiment de culpabilité m'envahit. Je viens de manquer à mon serment! J'ai beau hurler intérieurement mon innocence, je ne puis m'empêcher de me sentir coupable. Il faut qu'Alex comprenne, je ne suis pour rien dans ce qui vient d'arriver. Je ne veux pas mourir sans lui avoir confessé mon innocence! Lorsque Alex prend place près de moi et que nos corps nus se touchent en devenant complices de l'amour, je trace avec mes doigts les mots *Je t'aime* sur son torse. J'aimerais répéter ce simple geste encore une fois... *Je t'aime, Alex, si tu savais combien je t'aime!*

— O.K., je vais te ramener chez vous. Donne-moé dix minutes.

La phrase tombe tel un coup de tonnerre dans le silence de cette chambre à coucher humide et malodorante. Il me faut quelques secondes pour en assimiler véritablement le sens.

— T'es sérieux? Je veux dire... Enfin, tu me fais pas marcher? C'est pas un piège pour... pour me mettre en confiance et profiter encore de moi?

— Non, c'est pas une joke.

— Mon Dieu...

J'éprouve de la difficulté à le croire. Non, c'est impossible, il ne peut pas me laisser partir. C'est simplement un truc, il veut s'assurer que je ne lui ferai aucune difficulté, ainsi, il lui sera plus facile de se débarrasser de moi, le moment venu. J'hésite entre la joie et la crainte de voir disparaître bientôt la dernière chance de survivre à mon enlèvement.

— Merci.

Le mot m'a échappé. À peine l'ai-je prononcé que je le regrette déjà. Des larmes, des vrais larmes de joie, se répandent sur mon visage avant d'aller se perdre sur l'oreiller. Dois-je éprouver de la reconnaissance pour cet être impitoyable qui, depuis plusieurs heures déjà, abuse de moi? Non, je hais cet homme, je le déteste; si j'avais la possibilité de le tuer, j'agirais sans aucune hésitation, certaine de ne pas éprouver de remords. Je suis émue, j'ai hâte de revoir Alex, papa et maman.

— Ton chum, y va-ti te vouloir encore demain?
— Oui, il m'aime.
— Et tes parents?
— Ils seront heureux de me revoir vivante.

Sa voix est devenue pâteuse. L'effet de l'alcool, à n'en pas douter. Je ne tiens pas à entretenir la conversation, car je ne vois pas où cela peut nous mener. Je n'ai rien à faire de toutes ces questions. Ce que je désire le plus au monde, c'est fuir cette chambre, ce faux chalet suisse, ces draps humides et nauséabonds. Mais je dois faire preuve de prudence, ne pas le brusquer. Ce type peut changer d'idée et décider de me garder ici toute la nuit. Je ne pourrais pas le supporter...

— Parle-moé de ton mari.

69

Je décide de collaborer en gardant mes distances. Je suis comme une équilibriste marchant sur un fil de fer, qui risque de se rompre à tout moment.

— Il travaille à l'usine. Il...
— Je connais la place, insiste pas.

Sa réaction, très vive, me surprend. Il veut que je lui parle d'Alex et, dès que j'ouvre la bouche, il prend la mouche. J'hésite sur l'attitude que je dois adopter. Je suis tentée de lui demander l'heure, mais je me ravise. Ce serait dangereux de forcer la dose. Tant qu'il fera preuve de bonne volonté à mon égard, je préfère m'abstenir de tout geste susceptible de mettre fin à ce curieux échange verbal. Ce que je veux éviter par-dessus tout, c'est le malentendu: il ne doit pas assimiler mes paroles à un encouragement, il ne faut pas qu'il se mette dans la tête que je suis en train de devenir «sa» chose.

— Tu l'aimes, ton gars?
— Oui. Bien sûr que je l'aime.

Au ton de ma voix, il devine mon trouble. Je le sais insensible à ma peine et, d'ailleurs, je ne veux pas de sa pitié. Je m'efforce de reprendre le contrôle de mes émotions, même si l'exercice se révèle difficile.

— Et les autres, tu les aimes aussi?
— Les autres?

— Je ne sais pas, tes amis, ton père...

— Mes parents sont très gentils, ils veulent surtout que je sois heureuse. Quant aux amis, je n'en ai pas vraiment, alors...

Sa main frôle ma hanche. Je ne puis dire si ce geste est volontaire ou non. Pendant un moment très court, je me résigne à subir un autre assaut. Il se rapproche et nos flancs se touchent. Je n'aime pas cela. Quelques secondes s'écoulent dans l'incertitude. Je le sens prêt à recommencer. Malgré ma répulsion, je me dis qu'il est préférable de continuer de lui parler; en agissant de la sorte, j'occupe son esprit et, ainsi, j'augmente mes chances d'en finir avec lui tout en restant en vie.

— T'es marié, toi?
— Oui.
— Pourquoi n'es-tu pas avec ta femme, alors?

Le ton que j'ai utilisé laisse transparaître la colère. Je n'y peux rien. Heureusement, il semble trop préoccupé par la conversation pour se formaliser de ma réaction.

— Nous sommes un peu en chicane tous les deux.
— Vous avez des enf...
— Non.

La réponse est venue avant même que j'aie fini ma phrase. Je perçois de l'irritation dans sa voix. Consciente de m'aventurer soudain sur un terrain miné, je bats rapidement en retraite. Inutile de gâcher l'atmosphère, puisqu'il semble avoir abandonné toute idée d'ordre sexuel.

Je ne sais pas si le phénomène est causé par le son de ma propre voix, toujours est-il que je reprends confiance. Le vent a augmenté. J'entends les arbres se plaindre et, quelque part au-dessus de la chambre, je perçois un craquement régulier. Probablement un écureuil qui vient de se trouver un abri. J'essaie, plutôt mal que bien, de contrôler les tremblements agitant mes membres. L'ombre allongée à côté de moi semble avoir froid.

— Je vas prendre au moins vingt ans pour ça... Effraction, enlèvement, séquestration, viol, ça pardonne pas.

Ces paroles me surprennent. Il n'a pas parlé de meurtre. Je ne sais trop s'il veut éveiller ma pitié ou s'il réfléchit tout haut. Le mieux, c'est encore de jouer le jeu, de le mettre en confiance. S'il commence à réfléchir sur ce qui l'attend, il peut aussi bien décider de se débarrasser du témoin que je suis devenue.

— Je ne parlerai pas à la police, tu n'as rien à craindre!

— Je te crois pas.

Je ne sens pas de menace dans ces paroles, qui m'apparaissent plutôt comme un constat. Le moment est critique. C'est à partir de maintenant que mon destin se joue. Instinctivement, et pour la première fois depuis mon enlèvement, je prends vraiment l'initiative.

— Je crois qu'il serait temps que tu me ramènes à la maison.

J'entends un long et profond soupir. Manifestement, il n'est pas encore prêt à quitter le chalet. Patience... il ne faut pas que je m'énerve, sinon je risque de tout gâcher.

— Tu as déjà été en prison?
— Oh, ça oui!
— C'est-tu comme dans les films?
— C'est pire...

Mes craintes sont justifiées. Ce type pourrait bien être celui que la police recherche. J'ouvre la bouche pour lui demander ce qui l'a conduit en prison... et la referme aussitôt, car il pourrait ne pas apprécier ma curiosité. La conversation reprend, sur des sujets qui n'ont rien à voir avec la police, la prison ou les événements qui m'ont amenée ici. J'ai toujours peur et ma nervosité s'accentue. Bizarrement, je suis saisie par des frémissements qui se traduisent par des éclats de rire secs, nerveux. Ce comportement étrange m'inquiète. Je me demande si je ne suis pas simplement en train de sombrer dans la folie. Il faut que je sorte de cette chambre!

— Il est temps de me ramener. Alex et mes parents vont s'inquiéter.

Aucune réaction. Il agit comme s'il n'avait plus aucune notion de temps et de lieu. La conversation s'étiole et je commence à croire qu'il n'a jamais eu l'intention de me ramener. Il joue un jeu et moi, stupide et naïve, je m'y abandonne en me berçant de faux espoirs! Le temps se consume; interminables, les secondes, puis les minutes, s'égrènent en une litanie de mots et de phrases sans suite. Il parle, il parle... Il est devenu intarissable. Je préfère ne pas revenir sur la question de mon départ, je ne veux pas opposer mon destin à ces mots, qui ne me sont d'aucune signification. Le vent a tourné en bourrasque; la charpente semble s'animer, elle craque de partout. J'essaie de bouger, mais une pression autoritaire sur mon flanc m'indique de rester tranquille. Combien de temps s'écoule-t-il encore avant que j'entende, enfin, les mots magiques:

— Viens-t-en, on part.

J'en suis encore à m'interroger sur le sens réel de ces paroles lorsque, sans avertissement, il s'extirpe du lit et entreprend de se rhabiller.

— Si tu tiens pas à rester icitte toute la nuit,

tu ferais mieux de sortir de là. Je suis pressé!

Je ne me le fais pas répéter une seconde fois. À mon tour, je soulève les couvertures et, aussitôt, je suis sur mes jambes. Les muscles de mes cuisses, toujours douloureux, me supportent tant bien que mal. *Allons, du courage, ma pauvre fille, tout cela sera bientôt terminé!* Je quitte la chambre, l'ombre sur mes talons. Dans la cuisine, je jette un coup d'œil à la masse blanche du réfrigérateur. Enfoncé dans un angle, il ronronne comme un gros chat satisfait. Une idée s'impose à mon esprit: si j'ouvre la porte de l'appareil, la lumière en provenance de l'intérieur me permettra de voir les traits de mon agresseur. Il me sera plus facile de l'identifier le moment venu et, par ailleurs, je saurai à ce moment-là s'il s'agit bien de l'évadé de prison dont parlait la télévision. J'agis sans prendre le temps de réfléchir aux conséquences possibles de mon geste.

— J'ai soif!

Je franchis à grandes enjambées les quelques pas qui me séparent du réfrigérateur. Arrivée à sa hauteur, je tends le bras et, d'un coup sec, j'ouvre la porte. Il ne s'est pas écoulé trois secondes depuis le moment où j'ai pris ma décision et celui où je l'ai mise en pratique... Une lumière crue, teintée de jaune, se répand aussitôt dans la pièce. Je devine que l'ombre, qui n'en est plus une maintenant, a été prise complètement au dépourvu.

Mes yeux sont fixés sur le contenu du réfrigérateur et hésitent avant d'amorcer le mouvement
qui leur permettra de rencontrer le regard de
celui qui persiste à se tenir derrière moi. *Je ne dois
pas laisser passer cette chance.* Mon élan est freiné,
cependant. Je sais que ce moment est terrible,
qu'il peut engendrer des conséquences épouvantables... sur lesquelles je préfère ne pas m'attarder.
Lentement, en me penchant, je tourne la tête. Je
fais semblant d'être attirée pas une bouteille de
Seven-Up, qui trône, en compagnie de quelques
bières, sur une étagère. Je tends la main, la saisis,
et, en même temps que je me redresse et que je
referme la porte, j'accentue légèrement le mouvement de rotation de mon cou. Tout cela
s'effectue très rapidement. Je devine qu'il n'a pas
eu le temps de se rendre compte de quoi que ce
soit. Enfin, je l'aperçois. Sa taille est vraiment
imposante, ses cheveux noirs sont courts et bouclés. Sa barbe est fournie. Il porte une chemise
rouge à carreaux, un pantalon et une ceinture.
Puis, à son bras, une montre de couleur or à
cadran carré et une alliance. Je reconnais pas cet
homme. Clac! La porte vient de se refermer. Est-
ce bien l'évadé de la télé? Je ne sais pas. Trop
nerveuse, craignant de me faire remarquer, je l'ai
observé à la dérobée avec le résultat qu'il m'est
toujours impossible d'effectuer un rapprochement
définitif entre ce visage et celui apparaissant sur
la photo présentée à la télé.

— Pousse-toé!

La terreur s'empare de moi. Je ne l'ai pas observé plus d'une seconde et je sais qu'il n'a pas eu le temps de réaliser ce qui se passait. *Non, il ne m'a pas vue en train de le regarder!*

— Pousse-toé de là, que je te dis, ou alors donne-moé une bière!

J'espère qu'il n'a pas entendu le soupir de soulagement qui, en catastrophe, vient de se frayer un passage dans ma gorge. Sans demander mon reste, je fais quelques pas en direction de l'évier. Il n'a rien remarqué d'anormal dans mon comportement.

— Tourne-toé, je vais ouvrir la porte du frigidaire.

J'obtempère, trop heureuse de constater que tout s'est bien passé. Je m'empare d'un verre abandonné à son sort sur le comptoir-lunch et, pour demeurer fidèle à mon rôle, y verse un peu de Seven-Up. Derrière, le type s'anime. La cuisine s'éclaire une deuxième fois, j'entends le bruit de bouteilles qui s'entrechoquent et, finalement, celui d'une bière qui perd son bouchon. L'obscurité reprend possession des lieux.

— T'en veux ?
— Non, en ce qui me concerne, ça va...

Je le sens là devant moi qui m'observe et

m'examine. Je garde les yeux fermés. J'ai trop peur du pire.

— T'es pas vraiment jolie, tu sais. Heureusement que t'as un beau corps.

Je trouve sa remarque blessante et je m'en veux de réagir de la sorte. Je n'ai rien à faire des commentaires de ce type!

— T'es sûre que tu veux pas une bonne bière?
— Non, vraiment. Je n'aime pas ça...
— Gêne-toé pas, fais comme chez vous.
— Je te remercie.
— Bon, c'est comme tu veux...

Je bois mon Seven-Up à petites gorgées méthodiques. Je n'ai pas soif et j'espère que mon attitude est convaincante. Mes paupières sont lourdes. Je sens une certaine raideur dans mes articulations. La pression à la base de ma nuque est énorme, ce qui annonce une migraine certaine d'ici la prochaine heure. Je tourne toujours le dos au type. Son silence m'indique qu'il est en train de déguster sa bière. Mon impression est bientôt confirmée par un rot puissant en provenance du corridor. Il a quitté la cuisine sans que je m'en rende compte. Alors que j'entreprends de faire demi-tour, la voix de mon violeur, assourdie par la cloison, me parvient:

— Viens par icitte!

Je dépose le verre sur le comptoir. Un court instant, je pense à le rincer (un vieux réflexe!) mais je me dis que, dans ma situation, je n'ai pas à me soucier de problèmes domestiques. J'avance avec précaution, car l'obscurité, malgré l'aube naissante, demeure toujours aussi épaisse. Juste avant de pénétrer dans le salon, je constate, d'après la direction d'où me provient sa voix, que l'homme est assis sur un divan. Il me tourne le dos.

— Je vas te porter dans mes bras jusqu'à l'auto. Je te demande de te fermer les yeux jusqu'à temps que je te le dise. Tiens ma bière pendant que je transporte ton beau p'tit cul.

Ce soudain souci pour mon confort n'est pas sans me surprendre. Voilà une attitude contradictoire pour le moins inattendue. Mon agresseur se fait tout à coup tendre et prévenant. Veut-il cacher quelque chose? M'attire-t-il dans un autre piège? Que pense-t-il au juste?

\*\*\*

La distance entre le chalet et l'automobile a été comblée en moins de deux minutes. Arrivés près de la voiture, l'homme me dépose doucement sur le sol puis, ouvrant la portière du côté du passager, il m'invite, d'une légère poussée, à m'installer à l'intérieur. Le fait qu'il me tourne souvent le dos me permet de ne rien perdre de ses mouvements. Il contourne le capot et se dirige vers sa propre portière; au moment de l'ouvrir, il hésite. Finalement, il revient sur ses pas et, tournant le dos au pare-choc avant, entreprend d'uriner. Misant sur la chance, j'agis de nouveau sans penser. Estimant que le type en a encore pour une demi-minute, j'actionne le mécanisme commandant l'ouverture du coffre à gants, espérant y trouver des éléments qui pourront aider la police à retracer mon kidnappeur. Mon exploration ne révèle rien d'intéressant. Grâce à la petite ampoule éclairant faiblement l'intérieur, je parviens à lire, sur la page couverture d'un manuel d'instructions: *Chevrolet Monte-Carlo, GM*. Ma quête rapide, interrompue par de nombreux regards inquiets en direction de l'homme toujours en train de soulager sa vessie, ne révèle rien d'autre que cette fragile indication. J'en ai fini depuis déjà un certain temps avec mon exploration, lorsqu'il prend place derrière le volant. Je ne fais aucun effort pour essayer de le dévisager, car j'ai vu ce que je voulais voir tout à l'heure devant le réfrigérateur.

— Je peux rester assise?
— Pourquoi pas? J'ai pus envie de toé...
— Est-ce que je peux ouvrir mes yeux?
— Non, garde les yeux fermés.

La remarque me réjouit doublement, car elle confirme que je n'aurai pas à supporter le trajet du retour allongée inconfortablement sur la banquette avant, pas plus que je n'aurai à satisfaire une dernière fois les fantasmes sexuels de ce dé-saxé.

La voiture commence par rouler lentement et finit par accélérer lorsque la route devient plus praticable. Je ressens un grand, un profond soulagement. Je permets à mon esprit de vagabonder car, cette fois, je suis vraiment certaine de pouvoir recouvrer bientôt ma liberté. En attendant, je dois continuer de respecter les règles du jeu: rester calme, faire preuve de soumission, agir comme si rien ne s'était passé. Nous sommes un couple en balade, nous revenons d'une longue soirée chez des amis... Qu'importe ce qui vient de se passer, cette tension presque palpable, qui s'est installée dans l'espace réduit que je partage avec mon agresseur, est la pire jamais vécue. Le bruit du moteur lancé à plein régime a un effet hypnotique sur mes réactions. Une douleur sourde, qui va croissant, a pris possession de mon ventre dès le moment où j'ai pris place dans l'auto. Pour la première fois depuis mon enlèvement, je commence à m'inquiéter des conséquences physiques de l'agression dont j'ai été victime. J'espère que cet homme n'est pas atteint d'une maladie sexuelle incurable. *Mon Dieu! et si... et si je devenais enceinte!* À quand remontent mes dernières règles? Je ne sais plus.

Malgré ses directives, je garde les yeux mi-ouverts, mais le type ne semble guère s'en soucier étant donné que l'habitacle est toujours envahi par l'obscurité. À travers le pare-brise sale, j'essaie de me situer. À ma grande déception, une évidence s'impose: mon sens de l'orientation est moins développé que je ne le croyais. Impossible de reconnaître l'endroit que nous traversons. L'énervement, sans aucun doute... Nous roulons encore durant une dizaine de minutes avant que je ne me rende compte que ce trajet est différent de celui utilisé quelques heures auparavant pour nous rendre au chalet. Ce second parcours est beaucoup plus long que le premier... Je m'efforce de raisonner calmement, car cette route est un peu trop isolée à mon goût! Mon estomac se noue à l'idée de mourir assassinée dans cet endroit désert. J'en suis là dans mes réflexions lorsque, sans avertissement, des maisons s'imposent à mon regard. Dans le clair-obscur du petit matin, elles semblent repliées sur elles-mêmes, frileuses. Ce paysage ne m'est pas inconnu. Soudain, à la sortie d'un détour en épingle à cheveux, les phares accrochent un panneau indiquant que nous sommes à 12 kilomètres de chez nous. Je retiens le cri de joie qui monte dans ma gorge. Je parviens enfin à situer l'endroit dans lequel nous nous trouvons. Il s'agit d'une petite route secondaire, presque un chemin de cultivateur, reliant entre eux deux rangs situés au nord de ma localité. Je conclus donc que nous avons contourné le village, puisque la sablière s'étend dans la partie sud de celui-ci. J'estime que nous avons parcouru au moins une centaine de kilomètres depuis notre point de départ. En m'efforçant d'agir de façon naturelle, je laisse glisser ma main sur la banquette. Après m'être assurée discrètement que ce geste est passé inaperçu, je saisis la poignée de la porte, fermement décidée à tenter le tout pour le tout à l'instant même où l'automobile stoppera. Il y a des feux de circulation à moins d'un kilomètre d'ici. Si le type continue de rouler dans cette direction, il lui sera impossible de les éviter. Je serre les dents. Cette fois, c'est à mon tour de prendre l'initiative!

J'aperçois les feux de circulation en même temps que les gyrophares en action de deux voitures de police, lesquelles, stationnées nez à nez, empêchent quiconque le désire de passer outre à ce barrage improvisé.

— Crisse! Ça y est, y m'ont trouvé. Maudits chiens!

Enfin, quelqu'un a signalé ma disparition...

\*\*\*

— C'est terminé, maintenant. Je crois que tu serais mieux de te rendre... lui dis-je, victorieuse.

J'ai peur, très peur même. Ce type est probablement armé et je me vois mal passer le reste de la nuit en sa compagnie avec un revolver sur la tempe. Je réalise, trop tard, que ma remarque l'informe que malgré mes yeux soi-disant fermés, je suis en mesure de discerner les éléments qui

83

m'entourent. Je me mords les lèvres... et réalise qu'il est trop préoccupé par l'irruption des policiers dans son plan pour constater l'évidence.

— Ils ne savent pas à qui ils ont affaire...

En prononçant ces mots, il freine brusquement et braque le volant vers la gauche. Les pneus émettent une longue plainte criarde tandis que l'auto se cabre. Le dérapage se poursuit sur une vingtaine de mètres. La voiture s'arrête finalement en bordure d'un trottoir donnant sur un terrain vague. Tout se passe très vite à partir de ce moment. Le type a suivi mon regard. Il embraye en marche arrière en enfonçant l'accélérateur. Le moteur rugit si fort que je me demande s'il n'explosera pas. Les pneus tournent à vide en hurlant. Une forte odeur de caoutchouc brûlé parvient à mes narines. J'essaie de conserver un semblant d'équilibre pendant que nous fonçons à plein gaz dans la direction que nous venons d'emprunter.

— Arrête! tu vas nous tuer!
— Ferme-là!

Un dernier regard vers les feux de circulation me permet de constater que les policiers n'ont rien perdu de notre manège. Avec un bel ensemble, je les vois monter dans leurs véhicules et se lancer à notre poursuite.

— C'est inutile d'essayer de t'enfuir, ils sont presque sur nous...

— Ta gueule, crisse!

Le ton de sa voix trahit une panique évidente. Je n'ai rien à gagner en agissant comme si je voulais le provoquer. En me disant que, l'important, pour le moment, c'est d'en finir avec cet ultime chapitre de ma mésaventure, et de faire en sorte de rester en un seul morceau, je décide de me soumettre une dernière fois. De chaque côté de la route, les arbres défilent à une vitesse hallucinante. Les policiers lancés à notre poursuite ne se laissent pas distancer; le chant monocorde de leur sirène me parvient de plus en plus fort. Je ne sais trop si je dois me réjouir de ce retournement de situation, car mon ravisseur, décidé à ne pas se laisser rattraper, appuie rageusement sur l'accélérateur. Nous roulons à une vitesse folle pendant environ cinq minutes qui me paraissent des heures. Soudain, à la sortie d'une courbe, j'aperçois une intersection. La voiture, amorçant un brusque mouvement de décélération, tangue dangereusement et commence à déraper encore une fois. Juste au moment où il me semble que l'irrémédiable va se produire, l'auto reprend sa trajectoire normale et finit par s'arrêter au beau milieu du carrefour, formant un angle de quatre-vingt-dix degrés avec la route principale. Le type ne perd pas de temps; nous nous retrouvons bientôt en train de rouler sur un chemin de traverse en gravier. Pris complètement au dépourvu, les policiers ont continué tout droit à l'intersection. Le temps qu'ils freinent et rattrapent le temps perdu, je me dis que mon agresseur aura largement le temps de les distancer...

L'arrière de l'auto chasse dangereusement. C'est à mon tour maintenant d'être envahie par la panique. Si je dois mourir, je préfère que cela se passe dans d'autres circonstances! Je ne veux pas périr, nue, en compagnie d'un violeur pourchassé par la police!

— Arrête!
— Pas question, si je dois mourir, tu mourras avec moi!

L'obscurité se dissipe graduellement. Je n'entends plus le son des sirènes. Les policiers, par crainte de se retrouver dans le décor, ont décidé, sans doute, de réduire leur vitesse. Tous des peureux, me dis-je, alors que nous quittons la route en gravier pour déboucher dans un secteur résidentiel qui ne m'est pas du tout inconnu. Le quartier dans lequel habitent mes parents... Aussitôt, une idée me vient à l'esprit.

— Laisse-moi descendre, mes parents vivent à deux pas...
— Ferme-là, que je te dis, sinon je vas massacrer ta p'tite gueule!

Je me retiens pour ne pas pleurer; un tel geste

n'arrangerait rien à mon pauvre sort. Les maisons sont de plus en plus nombreuses. Je suis d'autant plus désespérée que ce quartier m'est familier: c'est celui de mon enfance! Nous passons en trombe devant la maison de mes parents. Tout est sombre à l'intérieur. Alex a-t-il informé papa et maman de mon enlèvement? Dans l'affirmative, ils doivent être morts d'inquiétude! La voiture ralentit et mon ravisseur semble hésiter sur la direction à emprunter. Après quelques instants de réflexion, il décide de tourner à gauche...

...ce qui le conduit tout droit sur un deuxième barrage de police.

Un dernier juron parvient à mes oreilles et se mêle au son d'une sirène. Finalement, nos poursuivants, malgré mes craintes, ont roulé presque aussi vite que nous! Avant même que je réalise ce qui se passe, l'auto dans laquelle je me trouve est encerclée par des policiers fortement armés.

— T'es mieux de pas leur dire ton nom.

Mon Dieu, est-ce possible? Ce cauchemar est-il vraiment terminé?

*** 

Braquant la lampe de poche sur moi, le policier m'interpelle:

— Madame, voulez-vous vous identifier s'il vous plaît.

Je reste saisie, traumatisée et incapable de lui répondre.

— Quel est votre nom? Êtes-vous Line Roussel?

Je fais signe de la tête. Je suis soulagée. Ils m'ont retrouvée. Mon corps continue à trembler, mes jambes à flageoler.

— Je veux m'en aller chez moi!
— Je comprends ce que vous ressentez, mais vous devez nous accompagner au poste.
— Pourquoi?
— Pour faire une déposition. C'est le règlement. Je n'y peux rien... Je vous en prie, essayez de collaborer.

Le policier qui vient de m'adresser la parole est encore jeune malgré ses tempes grises; j'estime qu'il ne doit pas avoir plus de trente-cinq ans. Son embarras est visible. Il me prête un imper avant de me demander de sortir de l'automobile. Je descends de l'automobile, pieds nus sur le pavé mouillé. Le vent est léger et une faible pluie tombe sur nous. Voilà la première fois que je me rends compte vraiment du froid qu'il fait. En compagnie d'un autre officier, nous prenons une direction opposée à celle qui, normalement, devrait me ramener à la maison.

— Est-ce que je peux voir mon mari au moins?

— Non, ce sera pas possible tout de suite. Pas avant votre déposition.

— Pourquoi?

Inutile d'insister, ce gars-là suivrait le règlement même s'il le conduisait tout droit en enfer. J'opte pour la patience, après tout, ce policier et ses collègues viennent de me tirer d'un sacré pétrin! Je suis assise sur la banquette arrière de leur auto-patrouille, laquelle file à toute vitesse en direction du quartier général de la Sûreté du Québec. C'est fini et je ne suis pas morte. Les dernières minutes (je devrais dire les dernières secondes) du drame dans lequel, à mon corps défendant, j'ai joué le rôle principal, se sont déroulées tellement rapidement que j'en suis encore à me demander si tout cela a bel et bien eu lieu. J'ai peur. Il ne s'agit pas simplement de crainte ou d'incertitude, mais de terreur pure. Que j'éprouve ce sentiment après coup ne change rien au fait que je tremble de tous mes membres, et cette fois pour de bon! Je devrais être morte à l'heure qu'il est! Je ne puis sortir cette pensée de ma tête. Morte. Je me promets de saisir désormais toutes les gâteries que le destin placera à ma portée. Mais, avant, je dois me soumettre aux «règlements». Je devrai confier à des inconnus, et en n'omettant aucun détail, tout ce qui m'est arrivé au cours des dernières heures. Il faut que je trouve le courage d'exprimer ce que ce type m'a fait subir, c'est important, car il ne doit pas s'en tirer avec une peine de prison symbolique!

Des gouttes de pluie s'écrasent paresseusement sur le pare-brise, formant des arabesques interminables. Curieusement, je me fais la réflexion que la journée ne se terminera pas sans que la neige se manifeste. Je viens de réaliser que le froid est encore plus vif qu'il ne m'est apparu au cours des premières heures de la nuit.

— Votre mari a été informé que tout était terminé et que vous étiez en bonne santé. Il vous rejoindra au poste dans quelques minutes.

Un bref moment de silence, puis, sur un ton encore plus embarrassé que précédemment, le policier ajoute:

— Hem... Nous l'avons informé de la situation, il apporte avec lui des vêtements...

Je ne réponds pas. Quoi dire? *Merci? Heureusement que vous étiez-là? Je m'excuse d'être la cause de tant de tracas?* Il sera toujours temps d'échanger des politesses plus tard. Pour l'instant, rien ne me paraît plus important que de me laver et d'oublier le regard de mon ravisseur, quand les policiers l'ont littéralement éjecté de l'auto avant de lui passer les menottes sans plus de ménagement. Il a eu le temps de me lancer un regard rempli de menace. Comment avait-il pu m'ordonner de leur cacher mon nom?

Je viens juste de me rendre compte que nous

roulons dans le centre de la municipalité située à une quinzaine de kilomètres de mon village. Le jour se lève. Nous croisons quelques automobiles qui s'empressent de ralentir à la vue de l'auto-patrouille. J'ai l'impression que ces gens derrière leur volant, des hommes pour la plupart, m'observent. Ils doivent croire que la police m'a interpellée après m'avoir surprise en flagrant délit d'effraction... La pluie s'est mise à tomber dru. Nous longeons le petit centre commercial que je fréquente le samedi, lorsque je n'ai rien d'autre à faire; le calme matinal rend les enseignes tristes, peu engageantes. Les néons, toujours illuminés, me paraissent fatigués, à bout de souffle comme moi. Nous roulons encore une dizaine de minutes et, soudain, le quartier général de la Sûreté du Québec, un gros édifice en pierre grise sur laquelle la pluie trace de longues cicatrices, se profile à l'avant du capot. J'aurais aimé que cette voiture sorte du temps, qu'elle avance vers une destination s'éloignant sans cesse.

— Nom, âge, adresse, profession...
— Je m'appelle Line Roussel. J'ai dix-huit ans et je travaille comme couturière dans une manufacture. Je demeure au 23, rue de l'Église, à Saint-... Le numéro de mon appartement est le...

J'hésite. C'est fou, je ne me souviens plus du numéro de l'appartement dans lequel je demeure depuis trois mois déjà!

— Calmez-vous, Madame. Nous avons tout notre temps...

— Le 2, oui, c'est ça... le 2!

Le policier qui m'interroge a une bonne bouille. La cinquantaine rondelette, un regard bleu, dont la pâleur est certainement attribuable à l'âge; son attitude est celle d'un bon père de famille. Je suis assise devant lui sur une chaise inconfortable. J'essaie, dans la mesure du possible, de dissimuler ma gêne. Malgré l'imper qui me recouvre, et que je tiens serré autour de ma taille, je m'imagine être le centre de l'attention générale. La pièce dans laquelle nous nous trouvons est bruyante malgré l'heure matinale. Une vieille horloge avec de gros chiffres noirs indique qu'il sera bientôt six heures. Des agents en uniforme se mêlent à des collègues en civil. Il doit bien y avoir là une dizaine de personnes. Je crois comprendre, grâce aux bribes de conversation qui me parviennent, que tous ces gens ont été mobilisés pour participer à l'opération de recherche, destinée à intercepter l'évadé de prison qui m'a tenue en son pouvoir pendant une bonne partie de la nuit.

— Mon nom est Gabriel Fontaine et j'ai le grade de sergent. Je vais vous demander de faire une déposition. Ensuite, nous vous conduirons à l'hôpital. Si vous ne vous sentez pas d'attaque, nous pouvons inverser la procédure...

— J'aimerais bien en terminer avec toutes ces

formalités le plus rapidement possible, mais je ne me sens pas très bien.

— Voulez-vous un verre d'eau?

— Oui.

Avec une souplesse inattendue, le sergent se lève et se dirige vers l'extrémité de la pièce où est installé un distributeur. Il revient à grandes enjambées pressées et me tend gentiment un verre en plastique rempli d'eau fraîche. J'avale le liquide en deux traits rapides. Je ne pensais pas avoir si soif.

— Écoutez, Madame, inutile de vous faire du souci. Nous allons attendre ici l'arrivée de votre mari; c'est lui qui va vous amener à l'hôpital pour les examens d'usage. Ensuite, si vous estimez être assez en forme pour revenir me voir, ce sera tant mieux. Sinon, eh bien, vous remplirez cette formalité plus tard. Je vous conseille cependant de ne pas trop tarder...

— Je vous remercie, c'est très gentil. Je crois qu'il est préférable d'agir de cette manière. Alex sera bientôt là et...

Un policier, beaucoup plus jeune que le sergent Fontaine, apparaît brusquement dans mon champ de vision, ce qui me fait sursauter. Dans sa main gauche, il tient un fourre-tout en toile sur lequel apparaît le logo d'*Air Canada*. Je connais ce sac. Il appartient à Alex. Constatant mon trouble, le policier s'empresse de s'excuser, avant d'ajouter, en bafouillant:

— Ce sont vos vêtements; votre mari vient de les apporter.

Il est ici. Alex... Mon Dieu, il est tellement possessif! Je ne suis pas responsable de ce qui est arrivé, je n'ai rien fait pour en arriver là. Le policier m'indique un bureau inoccupé et me tend le sac aux couleurs d'*Air Canada*.

— Ce n'est pas fermé à clé. Faites ça vite, votre mari ne tient plus en place!

Je m'habille aussi vite que possible. Alex a placé pêle-mêle dans le fourre-tout une paire de jeans délavés – celle que je préfère – une blouse à carreaux que mon père m'a donnée, un slip, des chaussons en laine et des espadrilles. Un coupe-vent en denim complète le tout. À mesure que j'enfile mes vêtements, un curieux phénomène se produit: je commence à me sentir mieux! Le bruit des conversations me parvient étouffé. Un éclat de rire, une porte qui claque, la sonnerie d'un téléphone... Le monde continue de tourner et moi je reviens peu à peu à la vie. Je finirai bien par m'en sortir. Je cherche vainement une brosse ou un peigne dans le sac que m'a remis le policier. Pauvre Alex, il est parti si rapidement qu'il en a presque oublié l'essentiel! Je souris pour moi-même, rassurée: si je me soucie de mon apparence, c'est que, moralement, je ne suis pas trop mal en point. J'hésite de longues secondes avant de retourner dans la salle principale, car il me semble avoir reconnu la voix d'Alex s'informant de ma présence. Allons, du courage!

Il est là, le visage décomposé, l'air hagard. Lui aussi a passé une sale nuit. Les policiers encore présents s'écartent et les conversations s'éteignent. Le silence, interrompu seulement par la longue plainte d'un klaxon en provenance du terrain de stationnement, deux étages plus bas, est presque palpable. Jamais je ne me suis sentie aussi mal dans ma peau! Finalement, c'est Alex qui fait les premiers pas... et dit les premiers mots:

— Mon amour, si tu savais jusqu'à quel point tu m'as manqué!
— Je regrette...

La voix d'Alex est chargée d'émotion. Je sens des larmes dans mon cou. Ce sont les siennes.

— Ne pleure pas, Alex. Tout est terminé maintenant.
— Je croyais pas te revoir vivante!

Le brouhaha a repris, ce qui nous permet de nous exprimer à voix haute. Alex me tient serrée tout contre lui, comme s'il craignait de me perdre de nouveau.

— Ils ont arrêté le salaud qui t'a fait ça!
— Oui, je sais...

Nos regards se croisent. Je vois tant d'amour dans les yeux d'Alex que j'en oublie presque la raison de ma présence dans cet endroit grouillant de policiers.

— Embrasse-moi, j'ai eu si peur. Alex, j'ai cru que j'allais mourir.

Son visage se rapproche du mien, ses yeux semblent hésiter et, soudain, ses lèvres touchent les miennes. Le baiser est bref, sans passion, il tranche nettement avec l'attitude d'Alex. Je suis étonnée mais ne le laisse pas paraître.

À l'entrée du commissariat, accoudés au comptoir, mes parents sont là. Je me sens gênée et honteuse à la fois. Ma mère me fait un sourire qui exprime toute sa compréhension. Maman est une mère pleine de principes et je crains que maintenant elle ait honte de moi. J'ai peur de me sentir rejetée, mais son seul sourire me fait comprendre qu'à ses yeux, je ne serai jamais une mal aimée. Mon père, lui, me regarde et me lance un clin d'œil à sa manière, c'est sa façon à lui de me démontrer sa compréhension, sa gentillesse, ses sentiments. Je n'oublierai jamais ce clin d'œil débordant d'amour. Je voudrais leur sourire, les étreindre, me laisser bercer par leurs paroles, mais je me sens tellement honteuse que, larmoyante, je baisse la tête. Mais j'ai compris leur message, je sais pourquoi ils sont là: ils m'offrent leur appui, leur soutien et leur amour. Inconditionnellement. Je sais qu'ils seront toujours là pour m'aider, et ce, dans les situations les plus difficiles. J'apprécie leur présence cette nuit-là, tellement que j'en ai une boule dans la gorge. Et, ce que j'espère de toutes mes forces, c'est qu'ils ne me méprisent jamais pour cet événement tragique, dont j'ai été victime bien malgré moi. Étant rassurée, je mentionne à Alex:

— Conduis-moi à l'hôpital. J'ai hâte d'en finir avec leurs examens. Ensuite, nous reviendrons ici pour la déposition.

Deux policiers nous accompagnent dans leur voiture banalisée. Encore le règlement. Le trajet jusqu'à l'hôpital est bref. Tout le monde est muet. La dernière fois que je me suis retrouvée ainsi, à quatre dans une auto, essayant de supporter une atmosphère aussi pénible, c'était à l'occasion de l'enterrement d'une vieille tante que j'avais prise en affection. J'avais onze ans à l'époque...

Le médecin qui nous accueille à l'urgence a les cheveux en bataille et son regard est fatigué. Les policiers l'informent discrètement de la raison qui nous amène là et l'examen médical débute bientôt en présence d'une infirmière. Alex est assis dans une salle attenante à celle dans laquelle je me trouve, tenant compagnie à nos deux gardes du corps. Je suis seule avec la garde-malade et le médecin; celui-ci, après m'avoir demandé sur un ton professionnel d'enlever mes vêtements, me fait un examen complet en gardant le silence, que j'apprécie. À l'exception d'une plaie sans gravité à la main droite, que je n'avais pas encore remarquée, et qui est due probablement à un éclat de verre, le médecin ne constate aucune blessure.

La suite, c'est-à-dire l'inévitable examen gynécologique, est beaucoup plus déplaisante.

Le médecin et l'infirmière s'affairent autour de moi avec un détachement qui n'exclut pas la compétence. Lorsque vient le moment de prélever une certaine quantité de sperme dans mon vagin, le docteur m'informe, en mettant un peu de chaleur dans sa voix, que l'opération ne devrait pas être douloureuse et qu'elle s'effectuerait rapidement. L'examen terminé, alors que je me rhabille, l'infirmière me tend en souriant un verre d'eau et un petit gobelet contenant un comprimé blanchâtre.

— C'est ce qu'on appelle la «pilule du lendemain». Je vous conseille de la prendre...

Sans me faire prier, j'enfonce le comprimé dans ma bouche et l'avale aussitôt en faisant le souhait qu'elle efface toute cette mauvaise aventure.

La salle d'attente est déserte. Alors que je suis en train de m'interroger sur ce qui se passe, Alex surgit d'un corridor. Devant mon regard interrogateur, il lance:

— Ils sont à la cafétéria... Petit déjeuner.

Pour la première fois depuis une heure, Alex et moi nous retrouvons enfin seuls. La salle d'attente est silencieuse, abandonnée. L'heure matinale explique sans doute ce calme que nulle sonnerie de téléphone ou conversation ne vient perturber.

— Je crois qu'un café me ferait du bien aussi...

Alex m'observe et dit, en réponse à ma remarque:

— Tu préfères attendre ici ou m'accompagner à la cafétéria?
— Je vais attendre. Cet endroit me convient parfaitement.
— O.K., comme tu voudras. Je reviens...
— Alex?

Ma voix, soudain, se brise.

— Alex, quelque chose ne va pas, j'ai l'impression que tu veux t'éloigner de moi. Tout à l'heure, lorsque nous nous sommes embrassés, ce n'était pas toi, tu n'étais pas comme d'habitude.
— Mais non, Line. Inquiète-toi pas. Je suis toujours le même.

Il s'exprime à mi-voix, craignant sans doute que quelqu'un nous entende. Je ne sais trop pour quelle raison, cette attitude m'agace.

— Ne me mens pas! Je te connais depuis assez longtemps pour savoir quand ça ne tourne pas rond chez toi.

Je pleure, les larmes déferlent sur mes joues comme une rivière en crue. Un énorme chagrin me submerge. D'un seul coup, toutes les émotions et les peurs accumulées au cours des dernières heures explosent. Mon chagrin est impossible à mesurer, je m'y noie sans espoir de refaire surface.

Le visage d'Alex a perdu ses couleurs; l'homme qui se tient debout devant moi me fait l'impression d'un enfant incapable d'expliquer les raisons pour lesquelles il se sent si triste. Il s'approche de moi, prend mes mains dans les siennes, ouvre la bouche pour dire quelque chose mais, se ravisant, il ferme les yeux.

— Dis-moi ce qui ne va pas, Alex.
— C'est que...
— Parle, je t'en supplie!
— Tu vas me trouver ridicule, Line, mais ça a été plus fort que moi.

Il s'interrompt, hésite encore une fois, puis, d'une seule traite, il laisse tomber:

— Ton corps, ta bouche... Line... oh, mon Dieu! Je ne veux pas te faire de peine, tu souffres tellement. C'est que tu... t'as encore l'odeur de cet homme.

Chaque mot est un coup de poignard. Je comprends Alex, ce qui ne m'empêche pas d'être anéantie.

— Pardonne-moi, Line. Cela a été plus fort que moi. Je t'aime.

De retour au quartier-général de la Sûreté, je suis accueillie une seconde fois pas le sergent Gabriel Fontaine. Le policier semble en meilleure forme qu'une heure auparavant; on dirait que ses yeux ont encore pâli.

— Racontez-moi ce qui s'est passé à votre résidence, à partir de l'instant où votre agresseur s'est introduit dans votre chambre.
— Dans les moindres détails?
— Oui, Madame. Je dois tout noter. Pour le procès. Non seulement les événements survenus chez vous, mais aussi ceux qui se sont déroulés dans la voiture et au chalet...

Je respire à fond. J'ai l'impression d'être un plongeur qui se prépare à entreprendre une exploration sous-marine dans une rivière ravagée par la pollution. Je sais qu'il est impossible de procéder autrement et que cette déposition permettra de faire condamner mon agresseur. Je dois consentir un dernier sacrifice.

Deux heures plus tard, tout est terminé. L'exercice s'est révélé pénible dans l'ensemble mais, à certains égards, le fait de verbaliser les événements qui se sont déroulés dans les heures précédentes m'a soulagée. Ma déposition a agi sur moi comme une séance de vomissements: cela a été dur, écœurant, mais après, quel soulagement! Plusieurs fois dans le cours de ma déposition, le sergent Fontaine m'a demandé, de manière directe ou détournée, si je connaissais mon agresseur. J'ai répondu non à chacune de ses questions. Intriguée par cette insistance, je me confie à Alex alors que nous nous préparons à quitter le quartier général de la Sûreté.

— Son insistance était justifiée, Line.
— Je ne comprends toujours pas...

J'intercepte le regard chargé de sous-entendus d'Alex.

— Tu me caches quelque chose, n'est-ce pas? J'aimerais bien comprendre.
— C'est Chartier qui t'a fait cela. Michel Chartier.
— Je ne connais personne de ce nom-là...
— Moi oui, Line, c'est le fils du propriétaire de notre logement.
— Quoi! le bandit qui m'a enlevée me connaissait donc.

— Oui, oui, il t'a sûrement rencontrée quelquefois.

— C'est drôle, je me souviens pas l'avoir déjà vu.

L'expression de surprise qui se peint sur mon visage fait naître un sourire crispé sur les traits d'Alex.

— Moi, je l'ai connu très jeune alors qu'il avait des amis dans le quartier où j'habitais.

— Tu connais ce bandit-là? Mais c'est un évadé de prison!

Alex a l'air stupéfait.

— Qu'est-ce que tu racontes, Line? Chartier s'est pas évadé de la prison.

— Alors, ce n'est pas le type de la télé?

— Écoute, ma chérie. Je crois que tu devrais te reposer, on reparlera de tout ça plus tard.

Je ne sais pas si je dois me sentir soulagée ou rassurée. J'étais presque certaine de savoir à qui j'avais eu affaire jusqu'à cet instant. Que Michel Chartier ait été ou non un évadé de prison n'améliore en rien ma situation... Je comprends maintenant pourquoi il voulait toujours cacher son visage.

\*\*\*

L'eau m'apporte plus qu'un simple soulagement, elle symbolise le renouveau, le retour à la vie. Je suis restée une heure dans le bain, puis j'ai pris une douche. Je veux redevenir pure. Pour Alex. J'ai frotté mon sexe avec du savon, jusqu'à ce que des larmes de douleur m'obligent à arrêter. Si je pouvais laver même mon cerveau, je le ferais. Je ne dois pas sombrer dans le ridicule. Je suis propre, maintenant. Mon mari, mon homme, celui que j'aime, m'attend; tout à l'heure, il me prendra dans ses bras, il me dira de ne pas m'en faire, qu'il m'accepte comme je suis. Cette nuit a changé ma vie mais notre amour, lui, demeure tel qu'il a toujours été.

# CHAPITRE 2

# Rumeurs

J'ai sombré dans un sommeil sans rêve, pesant. Les somnifères que m'a prescrits le médecin et que j'ai utilisés seulement en raison de l'insistance d'Alex m'ont littéralement mise K.O.! Je commence par ouvrir un œil... et le referme aussitôt. Je souffre d'une gueule de bois épouvantable. Pourtant, je ne bois pas. Quelques secondes sont encore nécessaires pour réaliser que je me trouve dans la chambre à coucher de notre appartement et que mon état n'est pas le résultat d'une trop grande absorption d'alcool.

— Alex?

Ma voix est enrouée. Je tends un bras et constate qu'Alex n'est plus là. Sa place étant froide, j'en déduis qu'il a quitté la chambre depuis déjà un certain temps. Effrayée, je me lève d'un bond et me propulse littéralement hors du lit. Aussitôt, une douleur fulgurante naît à la base de ma nuque et court le long de mon crâne à la vitesse de la lumière. Une migraine atroce prend possession de mon cerveau. La douleur est telle que j'éprouve de la difficulté à garder les yeux ouverts. La chambre repose dans une demi-obscurité empreinte de mystère. Il fait froid. Soudain, je me retrouve dans la même situation que quelques heures auparavant.

— Alex! Alex! Où es-tu?

Je suis affolée. J'ouvre la bouche, pour hurler cette fois; de douleur ou de terreur, je ne sais trop. Alex fait irruption dans la chambre et actionne le commutateur commandant l'éclairage. Son regard est paniqué. Sans un mot, il accourt à ma rencontre et je me précipite dans ses bras. Ma terreur s'estompe peu à peu.

— Là... là... Je suis avec toi, Line. Tu n'as plus à avoir peur.
— Alex, oh, Alex! Pendant un instant, j'ai cru que tu étais parti... que tu m'avais quittée pour toujours.
— Ne crains rien, je serai toujours à tes côtés. Calme-toi, maintenant.

Je ravale mes sanglots, rassurée. Cette réaction incontrôlée est due sans doute aux somnifères.

— J'ai une migraine épouvantable.
— Je cours te chercher du *Tylenol*. Ensuite, nous prendrons un café, cela te fera du bien.
— Quelle heure est-il?
— Trois heures... de l'après-midi.

Devant mon regard étonné, Alex se sent obligé de préciser:

— Tu dors depuis une vingtaine d'heures. Au début, j'ai été inquiet mais le médecin qui t'as examinée, hier matin, et à qui j'ai passé un coup de fil, m'a dit que c'était normal. Les pilules... et le choc émotionnel. Maintenant, tout va bien.

— Mon Dieu, j'ai dormi tout ce temps?

— Tu en avais besoin. Je reviens...

— Non, je t'accompagne. Je ferai passer le comprimé avec mon café...

Des journaux reposent, épars, sur la table de la cuisine. *La Nouvelle,* le quotidien de la région, et *Le Journal de Québec* évoquent tous, à la une, le drame dont j'ai été victime. Un bruit de flacons que l'on déplace dans une armoire à pharmacie me parvient de la salle de bains. Malgré la migraine qui va en s'accentuant, je ne puis résister à la tentation de prendre connaissance des articles. Je n'ai pas encore commencé à lire qu'Alex est de retour.

— Tu devrais pas regarder ça! C'est pas bon pour ton moral.

— Je sais...

Alex entreprend de débarrasser la table des journaux, mais je l'en empêche.

— Laisse, je ramasserai tout cela tantôt... après

# UNE JEUNE MARIÉE KIDNAPPÉE ET VIOLÉE

*par Yvon Rouleau*

**SAINT-... – Une jeune mariée de trois mois a été la victime d'un viol hier, aux petites heures, dans un chalet des Cantons de l'Est après avoir été enlevée de façon spectaculaire à son domicile.**

La jeune femme de 18 ans a

## Son beau-frère témoin de l'enlèvement

en effet été enlevée sous les yeux de son jeune beau-frère, qui n'a pu empêcher le maniaque sexuel de traîner la victime, complètement nue, jusqu'à sa voiture, stationnée devant la maison de la victime, rue de l'Église.

Le suspect, dans cette affaire scabreuse, Michel Chartier, 25 ans, de la région, a comparu hier après-midi, vers 15 heures, devant le juge Louis-Marie Lavoie, siégeant en cour des sessions de la paix, et il a enregistré un plaidoyer de non-culpabilité à l'accusation de viol portée contre lui.

Chartier doit comparaître à nouveau jeudi, pour tenter d'obtenir sa libération sous caution.

Selon les informations recueillies, le prévenu serait entré au domicile de sa jeune victime, pour tirer cette dernière jusqu'à sa voiture et la conduire dans le rang 7 sud de Saint-... À cet endroit, il aurait pénétré par effraction dans un chalet, y traînant sa victime pour finalement la violer.

Ce serait en la ramenant, toujours nue, vers son domicile, que Michel Chartier a été intercepté sur le pont de Saint-..., par le sergent Stéphan Giguère, de la police municipale.

Le prévenu fut aussitôt détenu et questionné, tandis que la victime était conduite à l'hôpital local, pour y subir des examens médicaux.

L'enquête, dans cette affaire, a été confiée aux agents Gervais Bouchard et Jean Lecours, de la Sûreté du Québec.

Fait à noter, la victime a été enlevée quelques minutes avant l'arrivée de son mari.

que j'aurai pris connaissance de ce qu'on raconte au sujet de mon agresseur.

— Line, t'es pas raisonnable.
— Je veux tout savoir sur ce salaud.

Mon regard décidé en dit long sur mes intentions. Alex n'insiste pas.

— Je te sers un café?

Trop occupée à lire l'article d'Yvon Rouleau intitulé: UNE JEUNE MARIÉE KIDNAPPÉE ET VIOLÉE où il est question assez fidèlement des événements qui viennent de se dérouler, je n'entends pas la question d'Alex.

*Le Journal de Québec* est plus explicite. J'avale une gorgée de café brûlant avant de commencer à lire. Un titre s'étale sur cinq lignes et l'article est signé par André Laflamme.

UNE NUIT D'HORREUR POUR UNE JEUNE FEMME DE DIX-HUIT ANS.

Ce journal à fort tirage ne mentionne heureusement pas mon nom ni mon adresse. Ainsi les mauvaises langues vont avoir beau jeu pour en inventer un peu.

— Tu veux encore un peu de café?
— Non, merci, ça va...

# Une nuit d'horreur pour une jeune femme de 18 ans

## André Laflamme

Une jeune femme de 18 ans a vécu des heures d'enfer au début de la nuit, hier, quand après avoir été tirée du lit par un inconnu qui s'était introduit par effraction dans sa chambre elle a été enlevée, séquestrée et violée dans un chalet de la région des Cantons de l'Est où l'ignoble individu l'avait conduite de force.

Il semble que la jeune femme se soit trouvée seule dans sa résidence, en l'absence de son mari, quand l'indésirable personnage s'est introduit chez elle.

Il était environ minuit trente et la jeune victime dormait d'un sommeil profond quand l'homme, surgi de la noirceur, la tira brusquement du lit pour la forcer aussitôt à le suivre à l'extérieur.

Une fois dehors, le suspect intima l'ordre à la jeune femme de prendre place à ses côtés dans l'automobile qui les attendait, et démarra.

Un peu plus tard, il immobilisa son véhicule dans un secteur plus ou moins désert et força encore une fois sa jeune victime à le suivre à l'intérieur du chalet dont il força la porte.

C'est à l'intérieur de cette résidence qu'il aurait alors séquestré sa victime et qu'il l'aurait forcée à avoir des relations sexuelles avec lui. Il l'aurait ainsi violée sous la menace, sans qu'elle puisse offrir la moindre résistance.

Ce n'est que plus d'une heure plus tard, mais à la totale surprise du dangereux individu qui revenait avec sa proie, que les policiers de la Sûreté du Québec interceptèrent son véhicule et procédèrent à son arrestation.

Tout à ma lecture, je n'ai pas fait attention à ce qui se passait autour de moi. Ma tasse est vide et ma bouche est imprégnée par le goût âcre du café. Alex, assis de l'autre côté de la table, regarde dans ma direction et j'ai l'impression qu'il ne me voit pas. Je reviens graduellement au présent. Prendre connaissance des articles de *La Nouvelle* et du *Journal de Québec* a été l'affaire d'une quinzaine de minutes seulement, mais j'ai l'impression d'avoir été tenue loin de cet endroit pendant des siècles. Involontairement, par le biais de ce qui a été rapporté dans la presse, je viens de revivre le drame de la nuit précédente...

— Tu ne devrais pas lire ce que les journalistes racontent, c'est inutile. Tu te fais du mal pour rien.

— Je vais bien, Alex. Sois sans crainte.

Intérieurement, je ne me sens pas aussi bien que je le prétends. Alex ne me quitte pas des yeux; son regard, pesant et inquisiteur, fait naître en moi une curieuse impression, mélange de ressentiment et de tristesse. Mon mari ne me veut que du bien, je le sais. Ce constat ne m'empêche pas, toutefois, de vouloir poursuivre ma lecture.

— Je vais jeter un dernier coup d'œil à *La Nouvelle*, Alex. J'ai besoin de savoir...

— T'es pas raisonnable, Line. Tu te fais du mal en lisant tout ça. De toute façon, y t'apprendront rien, tu penses pas?

# Le viol de la jeune mariée

# LA VICTIME DÉCLARE QUE L'INCULPÉ LUI ÉTAIT INCONNU AVANT LE DRAME

*par Yvon Rouleau*

SAINT-... – La victime du viol perpétré aux petites heures, mardi matin, dans un chalet du 7e rang sud de Saint-..., habite dans une maison qui appartient au père de Michel Chartier, 25 ans, mis en accusation mardi après-midi, à la suite de ce répugnant attentat.

Une brève enquête dans le village a permis d'apprendre que Michel Chartier a été élevé dans le village où habite également la famille de l'agressée.

Interrogée à ce sujet, une sœur de la victime a déclaré qu'il est possible que l'agresseur ait connu sa victime, pour l'avoir vu autour de la maison de son père. La jeune mariée qui fut attaquée sexuellement affirme, d'autre part, qu'elle ne connaissait pas l'inculpé, dans cette affaire.

Du côté de l'enquête policière, il n'y a aucun développement en marge de cette affaire, si ce n'est que le prévenu est toujours détenu, en attendant de comparaître, jeudi, afin de demander une libération sous cautionnement.

Le domicile de la victime est situé à l'extrémité du village, dans un endroit très peu éclairé, et le fait que la maison appartienne au père de l'agresseur a pu permettre à ce dernier de stationner tout à fait à l'aise, devant la maison, sans soulever trop de soupçons.

D'autre part, le trajet entre la résidence de l'agressée et le chalet du 7e rang sud, où elle fut violée, représente moins d'une demi-heure de voiture.

Le chalet en question est la propriété d'une dame Tremblay et il est situé à gauche de cette route, avant d'arriver à la grande courbe. Il fut malheureusement impossible, hier soir d'atteindre madame Tremblay.

Rappelons que la victime a été enlevée sous les yeux de son jeune beau-frère de 17 ans, et que cette dernière a été séquestrée, avant d'être violée, dans le chalet du 7e rang. Le prévenu fut intercepté par la police municipale, alors qu'il ramenait sa victime vers son domicile.

Le quotidien publie deux articles. Le premier reprend les mêmes thèmes que ceux exploités par *Le Journal de Québec*. Le second est plus intéressant. C'est celui-là qui retient mon attention.

— Ce Michel Chartier, c'est vraiment un ami d'enfance?

— Pas vraiment. Je demeurais chez Simon, je devais avoir treize ou quatorze ans, quand nos routes se sont croisées. Chartier habitait au bout de la rue, moi à l'autre.

— Quel genre de garçon était-ce?

— Line, je préférerais que nous parlions d'autre chose.

Alex ne paraît pas très à l'aise. Il doit se sentir un peu coupable. Je m'empresse de le rassurer.

— Tu n'es pour rien dans ce drame, Alex. Tu ne peux te porter garant des autres. Cesse de te tracasser. Je suis assez forte pour t'écouter.

— Tu es sûre de ce que tu dis?

J'acquiesce d'un mouvement de tête en souriant.

— Bon, si tu y tiens... Chartier est un drôle de type. Nous nous sommes perdus de vue il y a trois ans environ. C'est à partir de ce moment, je crois, qu'il a commencé à mal tourner. J'ai suivi sa carrière de loin en loin. J'avoue que, lorsque j'ai appris qu'il avait commis son premier hold-up, je n'ai pas été surpris. Ce gars-là a toujours recherché les ennuis. Quand nous étions adolescents, c'était toujours lui qui organisait les coups pendables dont nous nous rendions coupables.

— Quel genre de coups?

— Oh, des trucs sans importance. Du moins au début... Renverser des poubelles, dégonfler les pneus des voitures, rien de bien grave. Quand Chartier, nous devions avoir seize ans à l'époque, s'est mis dans la tête de pénétrer par effraction dans une épicerie du village, nous l'avons tous laissé tomber.

— Et tu ne l'as jamais revu depuis?

— Jamais.

\*\*\*

Une semaine après le drame, la malheureuse équipée dont j'ai été l'héroïne bien malgré moi est toujours évoquée à profusion dans la presse locale. La radio, la télévision surtout, ont flairé un bon filon. Un village replié sur lui-même où tous se connaissent. Une jeune mariée de dix-huit ans, kidnappée et violée par un récidiviste issu d'une famille de notables, tous ces éléments réunis donnaient une sacrée bonne affaire à exploiter! Mon nom ne circule pas encore dans les médias... mais on commence déjà à me pointer du doigt. Lorsque je sors, je devine dans mon dos des yeux qui m'observent. *C'est elle*, disent tous ces regards. Si je m'attendais à ce que les gens du village réagissent avec pudeur à mon drame, eh bien! je me suis trompée. Des rumeurs parviennent à mes oreilles et à celles de mes parents. *C'est son mari, il a voulu faire cadeau de sa jeune épouse à son copain Chartier. La vraie victime, c'est lui, il s'est laissé embarqué... Comment voulez-vous qu'il se plaigne, maintenant?*

Je détesterai toujours novembre, avec ses journées trop courtes et ses matins couleur de métal. Aujourd'hui, c'est dimanche. Maman m'a rendu visite ce matin, un peu après la messe de neuf heures. Alex a vite compris que nous avions besoin d'être seules toutes les deux. Il s'est éclipsé discrètement en me disant que, si j'avais besoin de lui, il serait chez Simon... *Alors, ça va, ma petite fleur?* a demandé maman. *Oui, tout baigne dans l'huile!* ai-je été tentée de répondre. Bien sûr, c'était faux, elle le savait et je le savais aussi. Le simple fait de pouvoir discuter avec elle de tout et de rien m'a fait du bien, cependant. Pendant un bref instant, tout a été comme avant; nous avons parlé de mes frères et de mes sœurs. Très peu de papa... Puis, il y a eu ce silence, lourd, pénible, qui nous a ramenées à la réalité. Maman s'est mise à pleurer.

— Qu'est-ce qui ne va pas?
— Oh, ce n'est rien. Un peu de fatigue accumulée...

Nous étions assises dans le salon, nous faisant face. Maman gardait les yeux baissés, fixant la moquette. Je me suis levée et, une fois près d'elle, j'ai pris ses mains dans les miennes.

— Je ne me souviens pas de la dernière fois que je vous ai vue pleurer, maman. Il y a certainement une bonne raison pour que vous soyez émue à ce point. Si vous vous faites du souci pour moi, je vous rassure immédiatement: je m'en sortirai!

— Tu n'es pas en cause, ma pauvre fille. Enfin, pas directement...

— Alors là, j'avoue que je suis très intriguée!

Un sourire sans joie apparut sur le visage de maman.

— Les gens sont tellement méchants, ils s'imaginent que ce qu'ils disent est sans conséquences. Les mots tuent. Je... je ne sais pas si je devrais t'en parler.

— Plus rien ne peut me toucher, vous savez. Et puis, tôt ou tard, ce que vous avez entendu parviendra à mes oreilles. Je préfère que ce soit vous qui m'appreniez les mauvaises nouvelles.

Maman tira un Kleenex de sa manche et me fit le récit de ce qui lui était arrivée la veille, à la pharmacie du village.

— La préposée au comptoir des médicaments est nouvelle. Elle ne me connaît pas, c'est sans doute ce qui explique son attitude. Toujours est-il qu'au moment de me remettre les pilules que le médecin a prescrites à ton père pour son cœur, cette femme me demande si je suis au courant de ce qui est arrivé à «la fille de la rue de l'Église». Je ne sais trop quoi répondre et j'hésite; il n'en faut pas plus pour qu'elle se lance dans une histoire abracadabrante, selon laquelle ton agresseur serait un ex-amant que tu aurais envoyé promener et qui serait venu se venger. J'étais tellement hors de moi que, pendant quelques instants, je suis restée muette. Quand j'ai réussi à reprendre le contrôle de mes émotions, je lui ai dit ma façon de penser, à cette fille. Tu aurais dû voir son air! Elle ne savait plus où se mettre. Elle l'a bien mérité.

La colère a remplacé l'émotion dans la voix de maman, qui parle maintenant sur un ton que je ne lui connaissais pas.

— Je ne remettrai plus jamais les pieds dans cette pharmacie! Plus jamais!

Restée seule, je me suis mise à réfléchir... Je comprends la colère de maman, comme une tigresse, elle défend ses petits contre l'appétit vorace des prédateurs. Contrairement à elle, toutefois, je ne fais pas tout un plat des commérages. D'une manière que j'arrive mal à expliquer, je suis prête à entendre n'importe quoi sur mon compte. Les gens sont méchants, c'est vrai. Une fois cette vérité acceptée, il ne reste qu'à l'assimiler. Ce qui est presque un fait acquis dans mon cas. C'est drôle, mais je m'attendais à quelque chose de semblable. Je suis seulement attristée par le fait que ce soit maman qui, la première dans la famille, ait eu à supporter cela.

Il y a deux jours, Monica, une brunette de cinq ans, ronde et souriante, qui demeure dans le voisinage avec sa mère, m'a observée d'un drôle d'air, alors que, pour la première fois depuis une semaine, j'osais mettre les pieds à l'extérieur. *Hello, Monica!* lui ai-je lancé, en la voyant courir sur le parterre gelé à la recherche de je ne sais trop quel ami invisible. La petite a reconnu ma voix et, en plantant son regard dans le mien, a dit, *c'est toi, la dame qui est allée toute nue avec un monsieur dans la sablière? Oui,* ai-je répondu, en essayant de donner un peu de vie au sourire figé apparaissant sur mon visage. Comment peut-on en vouloir à une enfant si jolie, dont le seul tort est d'écouter ce que disent les grands sans comprendre la portée de leurs paroles? J'ai été blessée. Il faut croire que ma carapace est moins épaisse que je ne le croyais...

\*\*\*

Je pleure souvent, à propos de tout et de rien: un plat trop cuit, une parole mal interprétée, un contre-temps. Malgré mes bonnes intentions et mon désir de conserver un moral élevé, je me sens triste, abattue. Je me retranche dans la solitude, préférant ne pas avoir à soutenir de conversation. J'éprouve beaucoup de difficulté à dormir et lorsque, enfin, je trouve le sommeil, je me réveille au moindre

bruit. L'atmosphère de la maison m'est devenu in-
supportable. J'ai l'impression de manquer d'oxy-
gène. Alex fait preuve d'une extrême gentillesse, il
essaie d'aller au-devant de mes attentes, se montrant prévenant en tout. Il participe activement aux
tâches domestiques, ce à quoi il consentait difficile-
ment auparavant. Je sais qu'il n'a pas la vie facile à
l'usine, lui aussi entend des choses sur mon compte
et il en ressent beaucoup de peine. Ce soir, ni lui ni
moi n'avons fait honneur au menu que j'avais pourtant préparé avec soin. L'appétit n'est pas là. Le
son de la télé nous parvient en sourdine, tandis que
les linguinis au crabe refroidissent dans nos assiettes. Alex me regarde, d'abord distraitement puis
avec insistance, ce qui me rend mal à l'aise. Je dis
n'importe quoi pour briser le silence.

— Tu n'aimes pas les linguinis? Pourtant, c'est
ton plat favori.
— Ils sont délicieux.
— Alors, qu'est-ce qui ne va pas?
— Tu le sais, Line. Cesse de jouer au chat et à
la souris...

Il y a une semaine que cette conversation aurait
dû avoir lieu. Je m'en rends compte maintenant à
son attitude. Il est inquiet et son comportement
trahit toute l'inquiétude qu'il ressent pour moi.

— Alex, tu as raison. Nous devons parler, c'est
impossible de continuer ainsi... Nous avons l'air
de deux âmes en peine qui essaient de trouver le

meilleur moyen de passer à travers l'éternité sans mourir d'ennui!

L'absurdité de ma remarque a pour effet de détendre l'atmosphère. Nous rions comme des enfants qui viennent de jouer un bon tour à leurs parents. J'en profite pour dire enfin ce que j'ai sur le cœur.

— J'étouffe ici, Alex! J'ai peur, même quand tu es là. Je n'ose plus me rendre dans notre chambre à coucher, tellement cet endroit me répugne. J'ai l'impression que l'odeur de cet homme s'est imprégnée partout dans la maison. Je sais, tout cela est psychologique, mais je n'y peux rien!

— Nous pouvons déménager ailleurs si tu veux.

J'espérais plus que tout au monde une proposition semblable mais j'étais loin de me douter qu'elle viendrait aussi rapidement. Pour tout dire, je ne pensais pas pouvoir emménager avant l'été...

— Peut-on quitter cet endroit le plus vite possible?

— Dès demain, je vais me mettre à la recherche d'un autre appartement. En attendant, tu peux passer une semaine ou deux dans la maison de tes parents. Je suis certain qu'ils seront très heureux de te savoir près d'eux. Et puis, tu pourras toujours considérer ce séjour chez toi comme des vacances. Qu'est-ce que t'en dis?

— Je crois que c'est une excellente idée.

— Line, je t'aime toujours autant, tu sais.

Je suis émue et réconfortée par l'attitude d'Alex, par sa compréhension qui n'a nullement besoin d'être provoquée et son désir manifeste de me faire oublier ma mésaventure. L'amour de mon mari est aussi intense, aussi grand qu'au premier jour de notre mariage... Je veux lui dire que, moi aussi, je l'aime, que je l'aimerai toujours, mais je suis sans voix. Je me lève, contourne la table et me dirige vers Alex; je prends sa tête entre mes mains et l'appuie sur mon ventre, comme une mère le fait avec son enfant pour le consoler. Cette nuit-là, 18 décembre 1979, le canapé du salon accueillera nos ébats amoureux. Pas question d'aller dans la chambre à coucher pour concevoir notre premier enfant...

*** 

Noël est là, avec ses boîtes de cadeaux multicolores, ses réveillons et ses réunions de famille. À la radio, les chants traditionnels ont remplacé depuis au moins deux semaines le rock'n roll et les rythmes syncopés que je persiste encore à appeler de la *musique disco*, même si les rares discothèques – dans lesquelles aucun alcool n'était autorisé! – que j'ai connues alors que j'avais quinze ans ont été reléguées dans les musées. Il neige depuis ce matin. Les flocons tombent dru et le vent semble vouloir se mêler de la partie. Si les conditions météo ne changent pas, nous aurons certainement droit à la première vraie tempête de l'hiver. Je ne suis pas dans l'esprit des Fêtes. Je pense toujours à l'agression dont j'ai été victime, le mois dernier. J'ai surestimé mes forces, je croyais pouvoir oublier ce drame, mais la chose me paraît de plus en plus difficile à réaliser. Maman me dit de ne pas m'en faire, que le temps finira par faire son œuvre. Comme j'aimerais la croire.

Avant-hier, nous sommes allés chez mes parents. La maison grouillait de gens. La fête battait son plein lorsque tante Irma, une vieille dame de quatre-vingt-sept ans, toujours bien mise, s'est approchée de moi. Voulant me réconforter, elle m'a prise dans ses bras en me disant de ne pas m'en faire, que j'oublierais cette aventure rapidement. Le seul problème de tante Irma, c'est qu'elle est presque sourde. Lorsqu'elle s'exprime, elle le fait en criant presque. Tout le monde autour de nous a compris ce qu'elle disait. Il y a eu un silence très bref avant que la fête ne reprenne. Je me suis sentie honteuse. Le regard embarrassé, gêné, de tous ces gens sur moi, m'a rappelé, soudainement, que bientôt je devrais raconter devant un juge, donc en public, tous les détails de mon agression. Je me suis retenue à grand peine pour ne pas pleurer.

Dans les premières semaines du mois de janvier, nous avons emménagé dans un nouvel appartement situé dans la partie opposée du village. Mon soulagement a été de courte durée. Moins d'une semaine après notre installation, les cauchemars sont revenus hanter mes nuits. Comme je crains de m'endormir et de retrouver dans mes rêves celui qui m'a mise dans cet état, je retarde le plus possible le moment de me mettre au lit. Mon humeur s'en ressent... Alex a décidé d'arrêter de travailler pour un certain temps. La décision n'a pas été difficile à prendre, car nos économies nous autorisent ce congé; de plus, la direction de l'usine se prépare à effectuer d'autres mises à pied temporaires, alors aussi bien prendre les devants. Par un phénomène de mimétisme, Alex a calqué son comportement sur le mien. Lui aussi est d'humeur maussade, je le sens loin de moi, surtout quand il est perdu dans ses pensées comme en ce moment.

Et cette neige qui n'en finit plus de tomber. Elle recouvre tout: les voitures, les arbres, les toits des maisons, les entrées de garages. Si seulement cette masse blanche et froide pouvait ensevelir mes pensées... Dans quelques jours, je devrai recommencer à travailler, côtoyer des inconnus, réapprendre à parler avec des collègues. Qu'est-ce que tous ces gens vont penser de moi?

Alex a quitté l'appartement il y a quelques minutes, en disant qu'il se rendait chez des copains. J'espère qu'il prendra un peu de bon temps, qu'il pourra oublier, l'espace de quelques heures, l'atmosphère lourde dans laquelle nous vivons depuis plusieurs semaines. Mon mari me fait l'amour régulièrement. À ce chapitre, rien n'est plus comme avant. Lorsqu'il m'a prise ce fameux soir où nous avons décidé de quitter l'appartement de la rue de l'Église, j'ai cru, un très bref instant, qu'il me tiendrait en partie responsable du drame qui a bouleversé notre univers. Heureusement, tout s'est bien passé, mon impression était fausse.

Le temps de réintégrer mon travail à la manufacture est arrivé bien vite. Avoir eu le choix, je n'y serais jamais retournée. Plus d'un mois s'est écoulé depuis «l'événement» et je souhaite que tout le monde ait oublié l'histoire.

Comme mon poste de travail est situé à l'extrémité de la manufacture, je dois donc me payer tout le trajet à pied à travers les compagnes aux mille questions retenues. Tête baissée, je passe l'allée centrale sans relever les yeux leur donnant ainsi, involontairement et bêtement, la chance de me scruter sous toutes mes coutures. Je suis horriblement gênée. Chaque pas que je fais exige un effort surhumain. Je les entends toutes sans les entendre, je les vois sans les voir. Elles seront cependant correctes. Aucune d'entre elles ne me parlera de cette histoire.

***

Le procès. Je suis incapable de m'enlever ce rendez-vous de la tête. Bientôt, très bientôt, toute cette boue reviendra à la surface. Des gens que je connais, qui habitent ce village, s'agglutineront

124

dans le prétoire pour «déguster» le drame dont ils ont seulement entendu parler mais qui les fascine. C'est que d'autres éléments sont venus se greffer à l'enquête et je suis inquiète quant à l'interprétation que l'on pourra en faire. Le père de Michel Chartier nous a rendu visite avant que nous ne quittions définitivement notre appartement. Ce salaud a offert de l'argent à Alex pour qu'il n'ébruite pas l'affaire! Il a même refusé le montant du loyer qu'Alex lui présentait, prétextant qu'il voulait nous laisser réfléchir à son offre. Le lendemain, c'était au tour de la femme de mon agresseur de rappliquer chez nous. En pleurant, elle m'a suppliée d'excuser le comportement de son mari. Alex et moi, embarrassés, l'avons écoutée en silence. Elle est partie la tête basse, inconsolable.

La semaine prochaine, je devrai me rendre à Montréal. Des spécialistes de l'Institut médicolégal procéderont au prélèvement de mes empreintes génétiques: analyse de la salive, test sanguin, dactyloscopie.

Le procès. Qu'est-ce que les gens vont penser de moi? Vont-ils croire que la passivité dont j'ai fait preuve durant tout le temps qu'a duré mon agression pourrait être assimilée à une marque de collaboration? C'est probablement la thèse que tentera de faire adopter la défense. Si certains de mes proches sont capables de penser qu'une telle aberration est possible, alors la partie est loin d'être gagnée!

Mes règles se font attendre; c'est la première fois depuis mon adolescence que cela se produit. Je mets ce retard sur le compte du choc émotionnel et du stress *à moins que ce soit*, pensé-je, *nos ébats amoureux du canapé qui donnent déjà des résultats. Un gars ou une fille? Quel bonheur rien que d'y penser!* Il est vrai aussi que je me suis donnée à Alex quelques heures seulement après l'agression dont j'ai été victime. Mon mari a paru très surpris par mon attitude. En fait, je l'ai presque forcé à me prendre. Je ne sais ce qui m'a poussée à combattre de cette manière le traumatisme que je venais de vivre... J'ai entendu dire que des femmes, après avoir subi un viol, refusaient systématiquement pendant des années de faire l'amour avec leur mari ou avec d'autres hommes; certaines deviennent même lesbiennes. Suis-je normale? Je considère Alex comme un être bon et c'est mon amoureux. Je n'avais donc aucune raison de le craindre, il n'est pas comme Michel Chartier. Sans doute voulais-je me prouver que j'aimais toujours autant Alex, malgré le fait que j'aie été obligée de me soumettre à un autre homme.

Alex ne me parle pas du procès, il n'essaie pas de me convaincre, même par des voies détournées, de faire marche arrière. Je devine qu'il craint cette échéance autant que moi. Lui aussi doit supporter les regards intrigués, quelquefois moqueurs, sans doute, de ses amis et des gens avec qui il travaille. Saint-... est un si petit village...

# CHAPITRE 3

# LA VÉRITÉ, TOUTE LA VÉRITÉ

La neige est figée par le froid et craque comme du verre sous nos pas. Ce matin, 29 janvier 1980, quand Alex et moi, en compagnie de Simon et de Jimmy, quittons notre appartement pour le palais de justice, le thermomètre indique moins trente-deux degrés Celsius! Un léger brouillard flotte à la hauteur des toits. Le village est désert, il n'y a personne dans les environs à part nous. Les gens n'osent pas sortir et c'est bien compréhensible. Simon contourne le capot de sa voiture, dont le moteur tourne depuis un bon quart d'heure. Un gros nuage blanc en provenance du pot d'échappement enveloppe l'automobile et lui donne l'aspect d'un dragon mécanique prêt à cracher le feu. Rapidement, nous nous engouffrons tous les quatre à l'intérieur, trop heureux de goûter à la chaleur de l'habitacle. Mes deux beaux-frères ont pris place à l'avant. En raison du froid qui a sévi toute la nuit, la banquette arrière est dure comme de la pierre. Je me serre contre Alex; ce mouvement n'a pas seulement pour but de me réchauffer, il sert également à me rassurer. Voilà, nous y sommes: un peu plus de deux mois après l'arrestation de Michel Chartier, le temps est venu pour lui de rendre des comptes. Ses déboires commencent. J'espère qu'ils dureront longtemps.

Alex et moi avons décidé d'aller jusqu'au bout même si nous savons que ce ne sera pas facile. Michel Chartier a commis un crime et il doit être puni. Cela aurait été trop facile de nous enfermer dans ce souvenir atroce en espérant que le temps arrangerait les choses. Je sais surtout que tout reposera sur moi, la victime. J'espère être à la hauteur de la situation, que mon courage ne flanchera pas. Je ne sais pas dans quoi je m'embarque, mais tout ce dont je suis sûre c'est qu'il faut que je le fasse. Chaque femme qui se tait, en de telles circonstances, aide les violeurs à violer, favorise leur penchant morbide à s'accaparer du corps d'une femme et à en faire ce qu'ils veulent, comme celui d'une poupée gonflable.

Nous roulons en silence. Après une accalmie d'un mois, la presse a recommencé à s'intéresser à mon cas. L'enquête préliminaire approchant, les journalistes ont essayé de voir clair dans les rumeurs circulant sur mon compte. L'un d'eux m'a téléphoné la semaine dernière. Quand il a laissé entendre que je pouvais avoir joué un rôle actif dans mon viol, en somme, que je n'étais pas tout à fait innocente, je lui ai raccroché au nez. Quel culot!

Les autos que nous croisons roulent lentement, car une mince couche de glace recouvre la chaussée. Je prends la main d'Alex dans la mienne. Ses doigts tremblent... Curieusement, un grand calme m'envahit, je ne nourris pas les mêmes appréhensions que mon mari. Les dernières semaines ont été tellement difficiles à supporter que je me sens libérée, tandis que se profilent devant nous les hautes colonnes en faux marbre du palais de justice.

Je m'attendais à ce que l'assistance soit importante, mais pas à ce point-là... Il y a au moins une soixantaine de personnes dans la salle. Je sens tous ces regards peser sur moi lorsque je prends place dans la première rangée, juste derrière la table réservée au procureur de la Couronne et à son équipe. Je reconnais le sergent Gabriel Fontaine, ainsi que deux ou trois policiers qui l'accompagnaient quand j'ai été conduite au quartier général de la Sûreté du Québec. L'avocat de la Couronne est d'une taille inférieure à la moyenne, il porte des lunettes rondes à monture métallique qui lui donnent l'air d'un chien battu. Les pantalons dépassant de la toge, qui lui recouvre la partie supérieure du corps jusqu'aux mollets, sont froissés. Il m'observe de loin, semble me reconnaître et m'adresse enfin un sourire forcé. Je me demande comment il a pu savoir que c'était moi la victime. Ma photographie n'a paru dans aucun journal. Le sergent Fontaine l'aura sans doute informé à mon arrivée, suis-je en train de con-

129

clure, lorsqu'un murmure, d'abord discret puis allant grossissant, se fait entendre d'un bout à l'autre de la salle. Intriguée, je me retourne. C'est alors que je l'aperçois.

Michel Chartier est encadré par deux agents de sécurité en uniforme. Vu sa longue feuille de route, toute libération sous caution lui a été refusée. Il est encore plus imposant que je ne le croyais. Je l'observe à la dérobée, car je ne tiens pas à ce que nos regards se touchent. Alex croise et décroise sans cesse ses jambes. Craignant qu'il ne se laisse aller à une esclandre, je le saisis par le bras et lui souffle à l'oreille:

— Calme-toi, Alex. Je t'aime...

Alex revient à une attitude normale. Derrière nous, le long murmure a cessé dès que le juge, un homme dans la soixantaine au regard sévère comme celui de tous ceux qui ont à se pencher sur les travers de l'humanité, a pris place sur son banc. Il semble y avoir un peu de remue-ménage du côté des avocats représentant les deux parties. L'avocat de la défense, contrairement à celui du ministère public, est vêtu avec recherche et il se dégage de sa personne une assurance qui ne me dit rien de bon. L'homme doit avoir dans les quarante-cinq ans. Sa chevelure, abondante et noire, est ramenée vers l'arrière. Il doit avoir la même taille que son client. Sa démarche trahit une longue habitude de ce genre d'endroit. *Ce gars-là est un charmeur qui sait comment s'y prendre avec les gens. Il ne me laissera pas quitter ce prétoire sans avoir essayé de me faire passer pour une grue!*

— À la demande des avocats des parties impliquées, nous allons entendre cette cause à huis-clos...

Le juge n'a pas terminé qu'un autre murmure, de mécontentement celui-là, court dans la salle. Impassibles, deux huissiers se dirigent vers les portes commandant l'accès au prétoire et les ouvrent. Ils invitent les gens à sortir y compris Jimmy et Simon, à leur grande surprise. La petite foule se retire en maugréant. Un groupe compact d'une demi-douzaine de personnes, qui prennent place à une table située légèrement en retrait sur ma gauche, n'a pas bougé. Le juge les observe un moment, puis lance à leur intention:

— Mesdames et Messieurs de la presse, je vous autorise à rester. Toutefois, je vous préviens: je ne veux lire dans vos journaux aucun compte-rendu, même partiel, des témoignages qui seront déposés durant cette enquête préliminaire ou entendre quoi que ce soit, à la radio ou à la télévision, susceptible de permettre l'identification de la présumée victime, ici présente. Vous êtes autorisés à faire état des plaidoiries du ministère public et de la défense. Rien de plus. Je ne tolérerai aucun manquement, même mineur, à cette directive!

On pourrait entendre voler une mouche dans la salle d'audience. Je fixe toujours le sol, essayant de me faire la plus petite possible. Juste avant que le juge ne s'adresse aux représentants des médias, mon regard a croisé celui de Chartier. Ce fut très court, moins d'une seconde. Cet échange, aussi bref fut-il, m'a ébranlée. *Inutile de fixer le plancher comme une sotte, je n'ai pas à avoir honte de me retrouver dans ce lieu, c'est moi la victime!* Devant moi, un mouvement se dessine. L'avocat de la Couronne parle à l'oreille de son assistant, qui opine du bonnet en arborant un air entendu; l'avocat de la défense lance un regard appuyé dans la direction du box où se tient mon agresseur et ses deux anges gardiens. Chartier sourit et, en même temps, gratifie son défenseur d'un clin d'œil. *Ce type a tellement confiance en lui qu'il en oublie la présence du juge.* Le président du tribunal n'est pas resté indifférent au manège de Chartier et il semble en ressentir de l'agacement. Un bon point pour moi. Tandis que les reporters sortent crayon et calepin de leur poche, le greffier, qui me semble bien jeune pour remplir une fonction aussi importante, prononce mon nom. Prise de court, je sursaute mais, à l'exception d'Alex, ma réaction passe inaperçue. Je comprends, à l'attitude du juge qui m'observe d'un air impatient, que je dois me rendre à la barre. Tremblante, je me lève et me dirige vers l'espace réservé aux témoins. Je ne m'attendais pas à être appelée aussi rapidement; à ma surprise se mêle de la colère. Pourquoi personne ne m'a prévenue que c'était moi qui devrais lancer le bal? Mon ressentiment vise le procureur de la couronne et confirme mon impression du début: je ne fais pas confiance à cet avocat de la poursuite, qui, d'une certaine manière, représente mes intérêts!

— Jurez-vous sur cette bible de dire la vérité, toute la vérité, rien que la vérité?
— Je le jure!
— Que Dieu vous soit en aide.

La voix du greffier ne correspond pas à son gabarit ni à son âge. Décidément, je vais de surprise en surprise. Le préposé à la Cour s'est exprimé d'une voix forte, autoritaire. Même Chartier paraît avoir été pris à l'improviste. De l'endroit surélevé où je suis assise, face à un énorme micro, j'ai une vue d'ensemble sur les acteurs de mon drame. J'aperçois l'avocat de la Couronne qui me paraît plus affairé que jamais. Empêtré dans les manches de sa toge, il marche vers moi avec l'air de quelqu'un pressé d'en finir avec une affaire ennuyeuse. Instinctivement, je serre les poings: nous y sommes. Enfin!

— Madame Roussel, veuillez raconter à la Cour ce qui vous est arrivée dans la nuit du 26 au 27 novembre dernier...

La question est longue, très longue. Lorsque l'avocat de la poursuite en a terminé avec son introduction, je lance un ultime regard aux petites grappes d'êtres humains éparpillées ici et là devant moi. Les reporters se montrent très attentifs; Chartier et les molosses qui l'encadrent sont plongés dans un bain d'indifférence; Alex me semble ressentir quelque chose que j'interprète comme un message d'amour non dit et qui m'aide à faire face au pire.

— Eh bien, ce soir-là...
— Parlez directement dans le micro, Madame. Nous avons de la difficulté à vous entendre!

Assise en retrait par rapport à la position du juge, je n'aperçois que la partie supérieure de son visage. Le ton de sa voix est sans équivoque: il m'ordonne de parler plus fort. Soit.

— J'étais seule à la maison et, après avoir regardé la télévision une partie de la soirée, je suis allée me coucher...

Mon monologue dure un peu moins de trois quarts d'heure et chaque minute de ce retour en enfer me paraît une éternité. De temps à autre, pendant que je parle, j'observe du coin de l'œil les reporters qui prennent en note tout ce que je dis. *Ils ne semblent pas vouloir tenir compte de l'avertissement du juge!* J'évite de diriger mon regard vers le box où est assis Chartier... Lorsque j'ai terminé de relater les faits, je m'attends à ce que l'avocat de la Couronne prenne le relais, qu'il me demande d'éclaircir tel point de mon témoignage ou d'élaborer sur un aspect particulier de l'agression dont j'ai été victime. Je suis estomaquée quand je le vois me tourner le dos et céder sa place à son collègue de la défense en disant:

— Pas d'autres questions, Votre Honneur.

C'est tout ce qu'il trouve à dire! La surprise est telle que je n'ai pas le temps d'appréhender le contre-interrogatoire dont je ferai bientôt l'objet. L'avocat de Chartier s'approche de moi, souriant. L'amabilité personnifiée, me dis-je, alors qu'il commence à m'interroger.

— Madame Roussel, la Cour comprend votre état d'esprit. Soyez assurée que nous ferons en sorte d'en terminer avec cette affaire le plus rapidement possible...

— Venez-en aux faits, Me Blackburn. Nous n'avons pas toute la journée!

— Hem... oui, Votre Honneur.

— Madame Roussel, lorsque vous affirmez avoir demandé à mon client la permission de vous habiller, vous vous trouviez dans votre chambre à coucher, c'est exact?

— Oui.

— Pourquoi lui avez-vous demandé cela?

— Je ne voulais pas que l'on me voit nue lorsque je sortirais.

— Vous avez agi ainsi dans le but de partir avec monsieur Chartier?

— C'est ce que lui voulait. Je savais que toute

protestation serait inutile et pourrait mettre ma vie en danger.

— Vous vous êtes sentie «obligée» de suivre mon client, alors?

— Je ne peux répondre à cette question par un simple oui ou non. Je...

— Répondez, Madame!

Douce mais autoritaire, la voix du juge me fait frémir. J'étouffe un sanglot. L'émotion qui m'étreint ne passe pas inaperçue et le président du tribunal reprend, avec plus de lenteur, cette fois:

— Madame, répondez à la question de M$^e$ Blackburn. Personne ne vous veut de mal... Notre seul but est la recherche de la vérité.

— Oui, je me suis sentie dans l'obligation de le suivre.

— C'est pour cette raison que vous avez voulu vous habiller?

— Oui.

— Parlez plus fort, je vous prie.

— Oui, je voulais m'habiller pour le suivre!

M$^e$ Blackburn – je ne me souviens plus de son prénom, d'ailleurs, je veux oublier jusqu'à l'existence de ce type – effectue un demi-tour théâtral et part dans la direction de la table qu'il partage avec son assistant. *Bravo, Line! tu t'en es pas trop mal tirée,* me dis-je. Je comprends trop tard, cependant, toute l'étendue de mon erreur. L'avocat de Chartier, que j'aperçois de dos, compulse quelques notes contenues dans un dossier. L'opération dure assez longtemps pour que le juge manifeste son impatience en se raclant la gorge. De retour près de moi, Me Blackburn, en adressant au président du tribunal un sourire que je trouve complaisant, lance, sur un ton détaché:

— Madame Roussel, j'aimerais que, pour le bénéfice de la Cour, vous éclaircissiez certains points importants.

Je ne saisis pas le sens véritable de cette question et le coup d'œil que je lance en direction des reporters n'a rien pour me rassurer.

— Dans la déposition que vous avez faite au sergent Fontaine, qui est présent dans cette salle, vous déclarez n'avoir appelé à l'aide en aucun moment, et ce alors que vous en aviez la possibilité. Pourquoi avez-vous agi ainsi, madame Roussel?
— Parce que j'avais peur!
— Peur de quoi?
— De... de me faire tuer, voyons!
— Je vous en prie, gardez votre calme...
— Je suis en possession de tous mes moyens, Me Blackburn.

J'espère un peu d'aide du juge, mais celui-ci demeure muet. Je suis seule. Irrémédiablement seule. Personne pour venir à mon secours. Exactement comme la nuit où j'ai été violée! Le seul

être humain qui puisse me tirer de là, c'est Alex.
Je le gratifie d'un regard désespéré et, aussitôt, je
me rends compte de la futilité de cet appel à
l'aide symbolique. Mon mari ne peut rien contre
le rouleau compresseur de la justice!

— Alors, madame Roussel, vous n'avez pas
crié parce que, comme vous venez de l'affirmer,
vous étiez persuadée que mon client s'en pren-
drait à vous si vous agissiez ainsi?

— Oui.

— Pourtant, vous aviez l'occasion d'attirer l'attention de votre jeune beau-frère, celui qui demeure chez vous en permanence... comment
s'appelle-t-il, déjà?

— Jimmy...

— Oui, c'est ça... Jimmy. Quel âge a-t-il?

— Je ne me souviens pas... Je crois qu'il est
un peu plus jeune que moi. Il... il ne demeure
plus avec nous maintenant, il est parti.

— Vous ne vous souvenez plus de l'âge de
votre beau-frère?

— Non... C'est que je suis un peu nerveuse en
ce moment.

Alex m'observe attentivement en bougeant
ses lèvres, qui semblent former des mots. Lorsque je comprends enfin ce qui se passe, il est
presque trop tard.

— Seize ans! Il a seize ans!

— Jimmy est donc assez âgé pour répondre à

un appel au secours, si jamais il est confronté à ce genre de situation...

— Objection, Votre Honneur! Cette remarque n'a rien à voir avec l'affaire qui est entendue actuellement par cette Cour!

— Objection retenue. M^e Blackburn, veuillez vous en tenir aux faits, je vous prie.

L'avocat de la Couronne se réveille, il se décide de prendre enfin mon parti, voilà qui est nouveau. Il était temps! Les reporters me fixent tous intensément, épiant chacune de mes réactions. Je donnerais n'importe quoi pour être ailleurs. Pourquoi me suis-je embarquée dans cette maudite galère?

— Si je comprends bien, madame Roussel, vous avez accepté de plein gré de suivre mon client?

— Euh... oui. Enfin, pas tout à fait. J'y ai été forcée...

— Allons, Madame! Ne nous obligez pas à rebrousser chemin. Vous venez de répondre par l'affirmative à cette question.

— M^e Blackburn, faites en sorte de ne pas harceler le témoin, sinon je me verrai dans l'obligation de désavouer votre conduite. Vous savez ce que cela signifie, j'en suis certain.

Les dernières paroles du juge, pour réconfortantes qu'elles soient, se perdent dans le brouillard. Je suis littéralement à plat. Je ne sais pas comment je parviendrai à m'en sortir. Cet avocat est le diable en personne, il réussit à me faire dire n'importe quoi... Un coup d'œil furtif à ma montre m'indique que seulement quinze minutes se sont écoulées depuis le début du contre-interrogatoire.

— Pourrais-je avoir un verre d'eau, s'il vous plaît?

Ma demande semble prendre Me Blackburn au dépourvu. Répondant au geste du juge, un huissier quitte avec empressement l'enceinte du tribunal et revient une minute plus tard avec un verre d'eau qu'il me tend, en prenant soin de ne pas trop m'approcher. Comme si j'étais une pestiférée. Le liquide, même tiède, me fait du bien. Je crois avoir désorienté l'avocat de la défense, qui arrive mal à cacher sa contrariété, alors qu'il reprend le contre-interrogatoire.

— Votre second beau-frère..., celui qui demeure près de chez vous, rappelez-moi son nom, voulez-vous?
— Simon.
— Simon, c'est exact... Vous déclarez, dans votre déposition, l'avoir aperçu brièvement, au moment de quitter le terrain de stationnement en compagnie de mon client. Cette déclaration correspond-elle toujours à la réalité, madame Roussel?
— Oui, évidemment.

— Comment expliquez-vous le fait que votre parent, qui est plus âgé que Jimmy et dont on peut présumer, par conséquent, qu'il possède plus d'expérience, n'a pas songé à vous venir en aide? Vous étiez nue, n'est-ce pas? C'était novembre, il faisait froid... Je présume que, dans un cas semblable, la première chose qui vient à l'esprit d'un individu normal c'est de s'interroger sur... je dirais l'opportunité, de s'enquérir auprès de la personne concernée, en l'occurrence vous, de la nécessité ou non d'agir pour mettre un terme à ce genre de situation pour le moins inhabituelle.

— Objection, Votre Honneur!

— Objection retenue!

— Madame Roussel, à l'exception de celui qui est votre mari, et qui est dans cette salle, avez-vous connu d'autres hommes?

— Objection, Votre Honneur!

— Objection retenue!

Je suis là, impuissante, au centre d'une tourmente que je n'aurais jamais dû déclencher, cherchant une façon de m'en tirer à bon compte, tandis qu'un pan entier de mon existence s'écroule. Je voudrais crier au juge et à ces imbéciles d'avocats que je n'ai rien fait de mal, que la victime, c'est moi! Le coupable, c'est ce porc de Chartier, dont je sens le regard adipeux glisser sur moi. C'est lui le responsable de tout ce cirque!

— Votre Honneur, je vais prouver que cette femme a provoqué mon client, qu'elle l'a suivi de son plein gré et que, finalement, par crainte de perdre son mari, elle a prétendu avoir été violée!

— M<sup>e</sup> Blackburn, essayez-vous de faire croire à la Cour que Michel Chartier est un enfant de chœur?

La tirade du juge met un peu de baume sur mes plaies, mais le réconfort est de courte durée. M<sup>e</sup> Blackburn tient sa proie, il ne la lâchera pas facilement. Il avance à petites enjambées dans le prétoire comme un vautour affamé.

— Votre Honneur, mon client n'est certes pas un ange, mais ce n'est pas le genre d'homme à violer une femme!

— Continuez à interroger le témoin, M<sup>e</sup> Blackburn... et laissez au tribunal le soin de déterminer si votre client est innocent ou non du crime dont il est accusé.

J'ai beau me dire que ce n'est qu'un mauvais moment à passer, rien n'y fait. Je ne suis qu'une pauvre imbécile, en train de subir l'assaut d'un criminaliste habile, dont le seul intérêt consiste à faire acquitter son client. Je ne trouve rien de mieux pour me défendre que de bafouiller des réponses sans queue ni tête! L'agression a beau être verbale, elle ne m'en rappelle pas moins celle dont j'ai été victime.

— Madame Roussel, veuillez expliquer à la Cour la raison pour laquelle, de plein gré et sans y être aucunement obligée, vous avez embrassé mon client quand il vous a offert de vous ramener.

L'attaque est tellement imprévue et ses implications sont si énormes que je demeure muette de stupéfaction. Le procureur de la Couronne présente la physionomie de quelqu'un à qui l'on vient d'annoncer que la fin du monde est arrivée. J'essaie de mettre mes idées en ordre. J'avais complètement oublié ce détail... Hélas! c'est la vérité! Lorsque Chartier m'a dit qu'il me ramènerait à la maison, j'étais tellement heureuse que je l'ai embrassé. Ce geste spontané trahissait davantage le soulagement qu'il ne répondait à une marque de reconnaissance, voire d'affection. Et puis, je me suis dit, sur le moment, que c'était la meilleure façon de rentrer dans les bonnes grâces de mon agresseur. En fait, j'étais très heureuse à cette idée d'être libre enfin! Analysé en dehors de son contexte, je reconnais que ce seul détail peut mettre en péril toute ma crédibilité.

— Non, c'est faux. Je veux dire... je ne l'ai pas...

— Madame Roussel, vous témoignez sous serment! Vous savez ce que signifie un faux témoignage, n'est-ce pas?

Sévère, l'attitude du juge n'a rien pour m'encourager. Le président du tribunal ne paraît guère apprécier cette révélation de l'avocat de Chartier. *Bon sang! comment ai-je pu oublier cela?*

143

— Répondez à la question de la défense, madame Roussel.

Le ton employé par le juge pour me ramener à la réalité n'autorise aucune marge de manœuvre... Aussi bien en finir tout de suite.

— Je craignais pour ma vie, ce geste a été posé par pur réflexe. J'étais redevenue une petite fille à qui l'on dit que le cauchemar est fini. Je voulais que mon agresseur sache que je ne lui ferais pas de difficultés. Je l'ai embrassé, oui. Sur la joue. Dans la situation où je me trouvais...

— Merci, madame Roussel. J'ai terminé.

\*\*\*

Je suis épuisée.Trois jours que cela dure, trois longues journées interminables au cours desquelles j'ai dû affronter les regards malsains ou condescendants des curieux qui, huis-clos ou non, s'agglutinent dans la salle des pas perdus. Chaque interruption d'audience représente pour moi un véritable parcours du combattant. Je m'efforce de marcher la tête haute, mais ce n'est guère facile; je reconnais plusieurs visages dans cette petite foule constituant, à elle seule, un univers de ressentiment. Les gens espèrent que le juge, peut-être, se ravisera et leur permettra d'assister à l'enquête. Je prie tous les soirs pour qu'il n'en soit pas ainsi. Je n'ai remarqué aucune compassion dans ces yeux qui me toisent de haut et qui, souvent, se font accusateurs; j'en suis venue à considérer la salle d'audience comme un refuge. Au moins, dans cet endroit, je sais reconnaître mes ennemis. Alex tente de me réconforter mais je suis impuissante à extirper de mon esprit le sentiment de culpabilité qui s'y est installé à demeure depuis que M$^e$ Blackburn a laissé entendre que je pouvais avoir encouragé, par mon comportement irresponsable, les agissements de mon agresseur. Je l'ai déçu et je m'en veux terriblement. J'ai agi sans penser. Pourquoi cet avocat ne m'a-t-il pas donné la chance, le droit, de m'exprimer, d'expliquer pourquoi j'ai fait cette bêtise? J'aurais bien aimé le voir, lui, dans ma situation. Je suis un être humain, pas une pièce à conviction! Pourquoi a-t-il fallu que ce soit moi qui aille à la barre raconter ce que Michel Chartier m'avait fait? Pourquoi a-t-il fallu que ce soit moi qui croule sous la honte? Pourquoi m'a-t-on humiliée, ridiculisée? Je n'ai rien fait de répréhensible, pourtant! Je pensais pouvoir régler mes comptes avec mon agresseur, mais c'est lui qui hérite du beau rôle. J'ai signé une déposition quelques heures après mon viol, dans laquelle je rends compte de ce qui m'est arrivé. Le type qui m'a enlevée et m'a obligée à me soumettre à lui est un être violent et sans pitié. Pourquoi faut-il que je prouve ma bonne foi?

Je ne comprends pas non plus que mes deux beaux-frères n'aient jamais eu à se présenter à la barre des témoins. Ils avaient pourtant tout vu et tout entendu. Leurs dépositions furent considérées comme superflues.

J'ai éprouvé des nausées peu après mon réveil, ce matin. Ce n'est pas la première fois que cela arrive. Aussi ai-je remarqué que mes seins étaient plus fermes et que mon corps subissait des petits changements. Je ne me sens plus comme avant dans mes vêtements. Plus à l'étroit. Je suis heureuse à l'idée d'être enceinte.

Ce matin, avant même le début de l'audience et à la demande de la défense, le juge a décrété que le procès aurait lieu dans trois semaines et qu'entre-temps nous n'avions strictement pas le droit de nous ouvrir la trappe à propos du contenu de cette enquête.

# CHAPITRE 4

# LES VISITEURS DU SOIR

La vie, une fois de plus, a repris son cours normal malgré le fait qu'Alex et moi savons très bien qu'il nous faudra bientôt reprendre la route du palais de justice. Ce sujet est devenu tabou. Nous préférons ne pas évoquer cette échéance pour ne pas assombrir nos journées. Cette entente tacite tient bon, même s'il nous est impossible, à tous les deux, de ne pas tenir compte des regards interrogatifs des voisins lorsque nous les croisons dans le village ou en quittant l'appartement. Il n'est guère question dans la presse locale de l'enquête préliminaire dans laquelle je joue un rôle majeur. Le huis-clos décrété par le juge a bâillonné les reporters. C'est toujours ça de pris... Avant-hier, au début de la soirée, le procureur de la Couronne est venu nous rendre visite. Me Paul Fournier – je parviens, enfin, à retenir son nom – m'a paru moins distant chez moi que dans la salle d'audience. L'avocat a insisté pour qu'Alex participe à l'entretien. Nous avons pris place autour de la table de la cuisine. Après quelques observations sans importance sur la température et sur le dernier match de hockey, nous sommes entrés dans le vif du sujet.

— La défense essaie de miner votre crédibilité, madame Roussel. En ce qui me concerne, votre bonne foi ne fait aucun doute. Vous devez comprendre, cependant, que dans un procès comme celui-ci, il n'est pas rare que l'agresseur plaide le consentement mutuel... Pendant l'agression, votre comportement a été sage, vous avez résisté à la tentation de vous débattre au procès, cela peut jouer contre vous, cependant.

Je comprends où Me Fournier veut en venir; d'un geste de la main compréhensif, je l'interromps.

— Vous voulez dire que je me défends très mal à la barre, n'est-ce pas?

L'avocat baisse la tête avant d'acquiescer à ma remarque.

— Le juge s'en tient uniquement aux faits et à la preuve présentée. Dans ce cas-ci, du moins en autant que vous et moi sommes concernés, les faits sont clairs: il y a eu enlèvement et agression sexuelle. Le problème, c'est que, malgré votre bonne foi, vous n'arrivez pas à être convaincante. L'impression qui se dégage de votre témoignage, jusqu'à présent, c'est la distance. Vous parlez comme si vous n'aviez été que témoin de l'agression que vous avez subie. Si vous voulez convaincre le juge, il faudra que vous redeveniez la victime que vous avez été cette nuit-là.

— Je suis votre seule preuve et l'attitude passive que je montre au tribunal ne joue pas en ma faveur, c'est bien ça?

— C'est votre parole contre celle de Chartier...

Il ne pourra jamais faire croire à personne qu'il a une parole!

— Votre arme principale, madame Roussel, c'est la spontanéité. Lorsque vous vous retrouverez à la barre pendant le procès, parlez simplement et, même si la chose est extrêmement difficile, rendez compte exactement de tout ce qui vous est arrivé en y mettant le plus de cœur possible.

— Croyez-vous que le fait que j'aie embrassé Chartier, sur la joue, puisse nuire à ma cause?

— Je ne sais trop... D'une certaine manière, ce geste dénote une certaine candeur. C'est difficile de prévoir la réaction du juge là-dessus.

— J'aurais dû vous en parler, n'est-ce pas?

— Oui, cela aurait été préférable.

Du coin de l'œil, je remarque l'embarras d'Alex, qui semble éprouver de la difficulté à tenir en place.

— J'avais oublié ce détail. Je sais que vous allez me trouver bizarre, mais j'avais complètement oublié ce détail. Lorsque l'avocat de Chartier me l'a brusquement remis en mémoire, j'ai failli m'évanouir.

— Ne vous faites pas de souci, madame Roussel. Ce qui est fait est fait... Il faut maintenant rattraper le temps perdu.

Une boule de plomb pèse de tout son poids sur mon estomac. D'une voix tremblante, je demande:

— Est-ce que ça signifie que Chartier pourrait être acquitté?

— Non, je ne crois pas. Il a enregistré un plaidoyer de culpabilité, n'oubliez pas. En fait, une telle issue m'apparaît improbable. La possibilité dont nous devons tenir compte, toutefois, c'est que Chartier s'en tire avec une sentence de deux ou trois ans de prison. Je vais exiger le maximum. La différence entre ce que nous pouvons espérer et l'objectif visé par la défense dépendra entièrement de votre comportement à la barre, madame Roussel.

Quelques minutes après le départ de Me Fournier, Alex m'a demandé si je voulais aller marcher avec lui. Je dois me rafraîchir les idées, a-t-il dit, pour expliquer ce goût soudain pour le grand air. J'ai vu dans ses yeux qu'il désirait se retrouver seul. Cette attitude correspondant à mon propre état d'esprit, j'ai décliné l'offre en souriant. Il a endossé sa canadienne et, en m'embrassant, il m'a dit de ne pas m'en faire, puisqu'il m'aimait.

— Moi aussi, je t'aime, lui ai-je répondu, émue.

\*\*\*

Pour me détendre, j'écoute de la musique et je lis. J'ai pris un abonnement à la bibliothèque du village et, ce faisant, je découvre avec bonheur un monde qui m'était inconnu auparavant. Les livres me permettent de m'évader dans un monde imaginaire où la plupart des drames humains se terminent bien...

Alex a repris son travail de mécanicien à l'usine. Je me suis réhabituée aux longues soirées solitaires avec un bouquin ou un disque comme seuls compagnons. Contrairement à ce que je craignais, le retour à la vie normale s'est effectué sans à-coup. J'ai peur, bien sûr, comment pourrait-il en être autrement! La porte de l'appartement est fermée à double tour, le numéro du poste de la Sûreté municipale est placé en évidence près du téléphone et, à moins que mes visiteurs ne se soient annoncés à l'avance, je ne réponds même pas aux coups de sonnette. Je préfère ne pas regarder la télévision depuis que je suis tombée sur une scène de film montrant une adolescente en train de se faire violer par une bande de soldats sud-américains.

La pendulette électronique du four à micro-ondes indique vingt et une heures trente. Alex a quitté l'appartement deux heures auparavant pour faire quelques courses. Il ne voulait pas sortir mais j'ai insisté pour qu'il le fasse. Je voulais me coucher tôt et je suis toujours en train de lire. J'ai peur. J'entends la clé jouer dans la serrure. J'ai beau être certaine que c'est mon mari qui se tient derrière la porte, je ne puis empêcher mon cœur de battre à tout rompre.

— Encore debout, Line? Tu as besoin de repos... le procès aura lieu dans quatre jours.

Alex m'embrasse avant d'enlever son parka encore imprégné du froid de l'extérieur. Tandis qu'il dépose quelques sacs sur la table et qu'il range son vêtement dans le placard, je me dirige vers la cuisine et lui rapporte un café.

— Je n'ai pas sommeil, Alex. Il y a beaucoup de monde en ville?
— À vrai dire, non. Je crois que les gens n'ont plus d'argent à dépenser...

Alex s'est installé sur le divan et se masse les tempes avec application.

— Tu as mal à la tête?
— Non, ça va. J'ai surtout besoin de ce café.

Je m'installe à ses côtés et lui tends la tasse. L'appartement repose dans le silence. Cet endroit est beaucoup moins fréquenté que la rue de l'Église. L'ensemble d'habitations dans lequel nous demeurons est situé à bonne distance de la route régionale, ce qui explique le calme qui y règne. Lorsque nous avons emménagé, il m'a fallu plusieurs jours pour m'habituer à ce nouvel environnement...

La sonnette de la porte d'entrée interrompt Alex avant même qu'il n'ait eu le temps d'argumenter. Nous échangeons un long regard, dans lequel se mêlent la crainte et la surprise. Alex réagit le premier.

— Ce n'est pas une heure pour rendre visite aux gens.
— Ne réponds pas, Alex. J'ai peur...
— J'espère que ce n'est pas une mauvaise nouvelle.

Alex dépose son café à peine entamé sur la table basse du salon. Il se dirige vers la porte d'entrée et se prépare à ouvrir.

— Non!
— Il n'y a aucune raison d'avoir peur, Line. C'est probablement Simon, ou ton père...
— Demande qui est là!
— Ne sois pas ridicule, Line...

Alex tire le verrou et ouvre la porte. Un homme de taille moyenne, âgé d'une trentaine d'années, arborant un visage bronzé, sourit à Alex.

— Bonsoir! Désolé de vous déranger à cette heure, mais c'est pour une urgence.

Nous connaissions «Coco» Talbot. Inquiets, nous nous interrogeons sur le but de sa présence ici. Tout ce qu'on avait entendu dire à son sujet nous faisait frémir. Aux dires de plusieurs, il était impliqué dans le commerce de la drogue. Il était connu comme étant batailleur et passait la majeure partie de son temps dans les bars de la région. On le qualifiait même de voleur.

Avec la mauvaise réputation qu'il s'était forgée avec les années, nous aurions préféré ne jamais avoir affaire à lui. Tous l'évitaient. On se contentait de le regarder à distance, sans trop s'en approcher. On se tenait loin. C'était la meilleure chose à faire. Nous le faisons tout de même entrer. Il est habillé singulièrement, affublé de vêtements plutôt défraîchis, le crâne mi-rasé. Il affiche un style peu orthodoxe lui convenant parfaitement. Il s'assoit à la table et, sans perdre un instant, va droit au but.

— Je ne veux pas vous retenir trop longtemps, je suis venu vous parler de Michel Chartier.

C'est drôle, en apercevant ce type, je me suis dit qu'il devait avoir quelque chose à voir avec mon agresseur. Ma surprise n'est pas totale; je ne puis en dire autant d'Alex, qui semble avoir été complètement pris à l'improviste.

— Vous connaissez cet individu?

— Disons que nous fréquentons le même genre d'endroits et que nous avons en commun certains amis... de la pègre locale.

Ce mot évocateur nous coupe le souffle. Comment peut-il se vanter de frayer avec cette bande d'escrocs? Attentifs, les yeux rivés sur lui, nous appréhendons la suite.

L'inquiétude se lit sur le visage d'Alex. Visiblement, il regrette d'avoir ouvert la porte de l'appartement à ce Tony Talbot. Celui-ci, constatant la réaction de mon mari, s'empresse d'ajouter:

— Ayez pas peur, je ne suis pas venu ici pour vous faire peur. Au contraire...

— Monsieur Talbot...

— Appelez-moi par mon prénom, ce sera plus simple.

— Monsieur Talbot, je ne vois pas pourquoi nous parlerions de Chartier. C'est un sujet que ma femme et moi voulons éviter.

— Vous devrez faire une exception ce soir.

Le ton de notre visiteur s'est durci et le sourire a disparu de son visage. Je crois revivre le même cauchemar qu'il y a deux mois. Je constate qu'Alex n'en mène pas large; j'espère seulement qu'il parviendra à garder son sang-froid, car ce gars-là ne me paraît guère commode. Je conclus qu'il est préférable de laisser l'initiative de la conversation à Alex.

— Je représente des gens qui aimeraient re-
nouer des relations avec Michel Chartier... le plus
rapidement possible.

— Ils n'ont qu'à lui rendre visite là où il se
trouve, en prison.

— Ce n'est pas aussi facile que vous le pensez.

Notre visiteur plonge la main à l'intérieur de sa
veste de cuir. Le geste, bien que naturel, me paraît
lourd de menaces. J'essaie, sans succès, d'attirer
l'attention d'Alex, qui semble hypnotisé par le regard de Tony Talbot. Nos pensées finissent tout de
même par se croiser: un revolver, il a un revolver!
Non, ce n'est qu'un vulgaire paquet de Du Maurier.

— Je peux?

— Il y a un cendrier devant vous, sur la table.

Je suis certaine qu'il a fait exprès, il a agi de
cette manière pour nous intimider sans en avoir
l'air. Bon sang, pourquoi Alex lui a-t-il ouvert
notre porte? L'odeur âcre du tabac grillé se répand
dans le salon. Je déteste la fumée de cigarette.

— Les gens que je représente ne veulent pas
que Chartier demeure trop longtemps en prison.

— Je ne comprends pas où vous voulez en
venir.

— Moi je comprends, Alex.

Tony Talbot m'observe avec une ironie qu'il
ne prend même pas la peine de dissimuler.

— Vous voulez que je fasse avorter le procès, n'est-ce pas?

— Il est inutile de se rendre jusqu'à une telle extrémité. Disons que vous pourriez faire en sorte d'atténuer certains faits, ce qui permettrait à Michel Chartier de s'en tirer sans trop de casse et à vous d'en finir avec ce cauchemar.

Tout cela ne me paraît pas très régulier. Cette histoire invraisemblable sent le mensonge à plein nez. Manifestement, ils laissent croire qu'ils ont des comptes à régler et qu'ils y arriveraient beaucoup plus facilement si Chartier était hors des murs de la prison. Tout ce temps, «Coco» Talbot ne cesse de me répéter que je devrais acquiescer à leur demande, qu'il est dans notre plus grand intérêt d'obéir et de nous plier à leurs exigences sans discuter. Plus il parle et plus je doute de la véracité de ses propos. Je suis même prête à parier qu'il existe un lien qui unit «Coco» Talbot lui-même à mon agresseur. Peut-être se connaissent-ils depuis longtemps? Peut-être aussi ont-ils été associés antérieurement d'une façon quelconque? Qui sait? Il cherche peut-être là un moyen de lui venir en aide. Quoi qu'il en soit, j'ai la nette impression qu'il a inventé cette histoire de pègre de toutes pièces, espérant ainsi m'impressionner suffisamment pour que je retire ma plainte. Mais sa performance manque totalement de conviction. Ce qu'il prétend m'apparaît peu plausible.

Je suis abasourdie. Cet homme veut que je me

parjure! Son assurance a quelque chose de scandaleux. Je ne sais trop si je dois opter pour la colère ou le fatalisme. Finalement, je conclus que la meilleure façon de mettre fin à cette rencontre, c'est de rester calme. Alex ouvre la bouche pour dire quelque chose, mais il n'a pas le temps de s'exprimer, je lui coupe la parole.

— Et qu'arrivera-t-il si je ne me rends pas à votre suggestion?

Tony Talbot hausse les épaules et sourit. Ses dents me rappellent ceux d'une hyène.

— Rien...

Impossible de se méprendre sur le ton employé. Il a dit *rien* mais la signification de ce mot prend un sens contraire dans sa bouche. En fait, *tout* peut m'arriver si je ne me montre pas compréhensive. Tony «Coco» Talbot est impatient et voudrait bien une réponse de notre part. Il se lève, se prépare à partir. Enfonçant sa main droite dans la poche arrière de son pantalon, il la ressort aussitôt avec une liasse de billets de banque.

— Il y a trois mille dollars là-dedans. C'est pour vous deux.

Il me jette un regard haineux, avant d'ajouter:

— Tout ce que tu dois faire, c'est de changer

ton témoignage et prétendre que tu as couru après ce qui t'es arrivée!

Alex, qui n'en peut plus, lui adresse fermement:

— Tu peux garder ton argent. Notre décision est prise!

L'homme, d'un geste brusque, recule sa chaise et nous prévient que devant un refus, la pègre ne badinerait pas et que nous aurions à en subir bientôt les conséquences.

Calmement, Alex lui demande d'être plus précis. Talbot se lève d'un bond et nous fixe droit dans les yeux.

— Tu connais pas ça, la pègre?
— Y pourraient-tu nous tuer pour ça?

Et comme pour semer le doute dans notre esprit, il reprend, l'air sûr de lui:

— Ben...

J'avais compris ce que sa réponse signifiait. Le message était passé. Il s'agissait de menaces et je craignais qu'ils ne les mettent à exécution. J'avais peur de ce qui pouvait nous arriver, à Alex, à moi et au petit être qui était peut-être là. Et si toute cette histoire était vraie? J'avais du mal à m'en convaincre mais il fallait tout de même considérer cette hypothèse. Je ne voulais pour rien au monde mettre en péril la vie de chacun d'entre nous. Tout reposait sur mes épaules à présent et j'en étais parfaitement consciente. Ma décision était prise.

J'obtempérerais. Peu importe si je devais être traînée dans la boue, déshonorée. Je le ferais, inconditionnellement, pour protéger ceux que j'aimais tant. Au fond, j'étais déchirée. J'avais l'impression d'être comme en équilibre sur un fil, ne sachant sur quel pied danser, ignorant si je devais aller de l'avant ou reculer. J'étais si incertaine... Quelque part, j'avais déjà la pensée d'avoir abandonné la lutte, esclave de ma faiblesse. Mais je ne voyais pas d'autre solution. Presque surprise, je saisis la copie de ma récente déposition et la lui tends afin qu'il puisse la lire. À contrecœur, je me résignerais à changer certains passages de mon témoignage selon ce qu'ils m'indiqueraient, de façon à disculper Chartier.

Une fois l'individu parti, Alex et moi échangeons un regard dans lequel se mêlent la peur et le soulagement.

— Tu trembles, Alex.
— Toi aussi, Line.

\*\*\*

Le sergent Gabriel Fontaine verse un peu de

sucre dans sa tasse avant de la porter à ses lèvres.

— Très bon, ce café. Il me rappelle celui de ma femme.

Nous observons le policier avec le détachement de ceux que plus rien n'impressionne. La nuit a été longue. La crainte de voir rappliquer Talbot, accompagné de ses amis, nous a empêchés de dormir. Au début, Alex, pour me rassurer, voulait prévenir la police. Malgré ma peur, je l'en ai empêché. Je ne sais ce qui m'a retenue, une certaine pudeur, peut-être. À moins que ce ne soit la crainte d'être obligée, encore une fois, de répondre aux questions des enquêteurs... Nous n'avons pas pris de chances, cependant; Alex a sorti du placard la Winchester dont il se sert habituellement pour chasser le chevreuil. À ma demande, il ne l'a pas chargée. La seule vue de cette arme, me suis-je dit, aura certainement un effet dissuasif sur quiconque essaie de s'introduire dans l'appartement dans le but de nous intimider. Ce n'est qu'au petit matin que nous avons trouvé le sommeil. Vers neuf heures, après avoir été tirée du lit par un coup de fil de maman – je ne lui ai rien raconté, jugeant inutile de l'inquiéter – je me suis enfin rendue aux arguments d'Alex. C'est lui qui a appelé le sergent Fontaine.

— Je connais ce Talbot.
— C'est un type dangereux?
— Pas vraiment.

Je constate, à sa physionomie, qu'Alex est profondément soulagé par la réponse du policier.

— Et ses amis?

Cette fois, la question vient de moi. Contrairement à Alex, je ne ressens nullement le besoin d'arborer une confiance que je suis loin de posséder.

— Cela fait au moins deux ans que nous n'avons pas eu affaire à «Coco» Talbot. Ce ne sera pas facile d'identifier ses relations. Une chose est certaine, ce ne sont certainement pas des scouts. Vous avez l'intention de déposer une plainte?
— Qu'est-ce que vous en pensez?

La question d'Alex n'entraîne aucune réaction chez le policier, qui se contente d'un réponse laconique.

— Ce sera sa parole contre la vôtre. Il n'y a pas de témoins. À mon avis, c'est une cause perdue.

J'évite de tout raconter les détails au sergent Fontaine surtout en ce qui a trait à la déposition que je lui ai remise pour qu'il la lise et me la remette. J'ai honte de moi, maintenant.

En se levant pour partir, le sergent Fontaine voit l'arme, appuyée contre le mur. Il lance un regard de biais à Alex, m'effleurant au passage:

— Soyez prudents avec ce joujou, mentionne-t-il en ne s'adressant à personne en particulier.

\*\*\*

Les jours qui suivent sont difficiles à traverser. Nous vivons constamment dans l'anxiété, sans nouvelles. Inquiets, tendus, nous restons là à attendre, craignant un tête-à-tête imprévu avec la pègre. «Coco» Talbot ne leur avait peut-être pas dit que nous avions accepté leur marché. Dans ce cas, ils ne tarderaient sûrement pas à faire irruption chez nous. Mais que peuvent-ils bien faire avec mon dossier? Pourquoi prend-il tant de temps à en faire la lecture? Je ne veux surtout pas qu'il en révèle le contenu à qui que ce soit; j'ai tellement honte. Cette histoire est bien trop personnelle. Je regrette maintenant de le lui avoir confié même si, au fond, je sais pertinemment que, dans les circonstances, c'était ce qu'il y avait de mieux à faire. Malgré tout, je me torture l'esprit à savoir si j'ai réellement pris la bonne décision. Je ne suis plus sûre de rien. Ambivalente, je doute de mon jugement. Et cette incertitude est encore plus lourde à supporter que cette attente qui n'en finit plus.

Quelques jours passent encore avant de le revoir enfin. Par bonheur, il a en main ce précieux document que je reconnais sans peine. Je suis soulagée. Tel qu'il s'était engagé à le faire, il a apporté certains changements à ma déclaration. Il a en effet raturé plusieurs extraits qu'il me conseille de taire et en a discrètement souligné d'autres dans l'intention que je les rectifie en faveur de l'accusé.

Étonnamment, ce soir-là, l'homme ne parle plus de la pègre. Son discours a changé. Il n'est plus question maintenant que d'Euclide Chartier, le père de mon agresseur. Curieusement, ce dernier nous offre le même montant d'argent que nous avait proposé la pègre précédemment. Et, bien sûr, en retour du même service. Quelle étrange coïncidence...

Qu'est-il advenu de cette soi-disant pègre qui devait nous faire essuyer les contrecoups de notre entêtement? Depuis le début, nous avions refusé de croire à ces balivernes, et pour cause. Voilà que «Coco» Talbot change l'aspect de son récit, substituant, inopinément et sans raison apparente, le personnage principal. Alex le crucifie du regard.

— Cou'donc, qui t'a envoyé icitte? Le père à Chartier ou la pègre?

Nous avions vu clair dans son jeu. Tout était si évident maintenant. Tout devenait si limpide tout à coup. Sans chercher à se justifier outre mesure, ne semblant pas du tout embarrassé par notre perspicacité, il répond sans hésitation que la pègre était responsable en partie de sa première visite mais que, par la suite, Euclide Chartier avait communiqué avec lui dans le même but. Qui plus est, il se permet d'ajouter qu'il préfére sans contredit traiter l'affaire avec le père de mon agresseur plutôt qu'avec la pègre. C'était beaucoup moins risqué et beaucoup moins dangereux. Mais pour qui nous prenait-il?

Nous sommes là bouche bée. Euclide Chartier, notre ancien propriétaire, un homme en qui nous avions confiance et qui nous avait toujours prouvé son honnêteté, un homme d'affaires respectable et bien connu dans la région, un homme qui, nous l'avions cru, pouvait s'enorgueillir d'une réputation enviable, lui, impliqué dans cette histoire. C'est aberrant, insensé. Nous n'arrivons pas à le croire. Comment pouvait-il se corrompre à tramer ce genre de complot? Nous avions la certitude à présent que c'était bien lui qui était l'instigateur de toute cette machination, que c'était lui qui avait envoyé cet émissaire chez nous. Délibérément, il avait cherché à nous faire peur dans le but d'obtenir rapidement ce qu'il voulait. Il devait être convaincu que, sous la menace de la pègre, nous n'aurions pu rien lui refuser. C'était abject. Croyait-il vraiment qu'en échange d'une poignée de dollars, j'accepterais de dire devant le tribunal que j'avais consenti à mon propre viol? C'était mal me connaître. Je l'aurais fait si ma vie et celle des miens avaient été en jeu, mais pour de l'argent, jamais! Jusqu'où irait cet être immoral pour défendre son fils? En ce qui nous concernait, il était allé beaucoup trop loin déjà.

La découverte de ce stratagème avait raffermi nos positions. Il est inutile de discuter davantage. Nous retournons à la case départ avec un atout en plus cependant: nous connaissons maintenant notre adversaire.

Son plan avait échoué mais il avait une autre idée derrière la tête. Par l'entremise de «Coco» Talbot, il nous donne rendez-vous à son lieu de travail, une entreprise importante qu'il dirige. Cette rencontre avec le père de mon agresseur pourrait être très compromettante pour nous. Nous le réalisons bien. Mais notre curiosité est si grande que nous acceptons, d'un commun accord, de nous y rendre. Qu'a-t-il à nous proposer cette fois? De toute façon, il perd son temps; nous sommes déterminés à refuser la moindre chose qui vient de lui. Mais nous avons besoin de savoir si c'est réellement Euclide Chartier qui se cache derrière ce coup monté. Peut-être l'avons-nous jugé trop hâtivement, sans preuve à l'appui. Peut-être aussi que l'homme nous a dit la vérité ce soir-là au sujet de la pègre. Il faut savoir.

Nous arrivons les premiers à l'endroit prévu. Patiemment, nous attendons à l'extérieur la venue des deux autres. Il fait noir. Le froid mordant nous glace le dos. Nous apercevons enfin nos deux hommes. Sans tarder, nous pénétrons tous les quatre à l'intérieur: «Coco» Talbot, Euclide Chartier, Alex et moi.

Il nous fait sur-le-champ une première offre. Il désire en effet nous vendre, à un prix supposément dérisoire, une de ses propriétés: l'immeuble maudit où nous avions déjà habité et qui me rappelle tant d'horribles souvenirs. Il n'est pas sans savoir que sa proposition pourrait intéresser Alex et qu'il y réfléchirait sûrement. Sentimentalement, Alex est très attaché à ce quartier. Sa famille s'y est établie, il y a très longtemps. Toutes ces années, ils ont vécu au même endroit, sur la même rue. De génération en génération, ils s'étaient transmis ce bien, un peu comme cet héritage que l'on lègue à ses enfants. Malgré cela, il se montre catégorique et rejette d'emblée cette offre pour le moins biaisée. Notre interlocuteur paraît surpris. Ce refus expéditif le laisse totalement muet. Alex, lui, intouchable, ne plie pas. La tentation est grande d'accepter mais la raison, plus forte, l'emporte largement sur le cœur. Il le fait pour moi. Pour nous deux aussi. Il s'oublie, sacrifiant son rêve, faisant passer au second plan ses propres intérêts.

Nous n'avons plus rien à faire ici. Tout a été dit. Nous sommes sur le point de partir lorsque Euclide Chartier nous demande de patienter encore un moment. Les deux hommes se retirent aussitôt dans une autre pièce. Alex et moi attendons seuls, échangeant nos impressions sur l'offre inconsidérée qu'on venait à peine de nous soumettre.

L'endroit est désert. Rien dans ce lieu ne nous

inspire vraiment confiance. Et cette attente qui n'en finit plus. Plus le temps passe, moins nous sommes certains qu'en se présentant à cet endroit, clandestinement, nous avons fait le bon choix. On pourrait nous prêter de fausses intentions, interprétant mensongèrement le but de notre présence ici. L'idée de nous esquiver nous effleure à peine l'esprit que «Coco» Talbot réapparaît, seul cette fois. De nouveau, tentant un geste désespéré, une manœuvre de dernière chance, il nous offre ces mêmes trois mille dollars en échange de cette liberté que je suis la seule à pouvoir redonner à cet individu ignoble que son père, par tous les moyens, essaye vainement de sauver. Son seul fils. Il l'aura défendu jusqu'à la mort, lui pardonnant ses pires fautes. Il faut se méfier de ce père que l'amour aveugle. Moi, qui, il n'y a pas si longtemps, le respectais encore. Aujourd'hui, j'ai des doutes.

Nous n'avons pas revu Euclide Chartier ce soir-là. Il a mystérieusement disparu. Par prudence, je suppose. Il sait trop bien que ses manigances auraient pu le placer dans une situation délicate et lui valoir des poursuites judiciaires qu'il ne désirait sûrement pas. Il a fait agir quelqu'un à sa place et ce n'est pas sans raison. Il ne veut pas se salir les mains, sa conduite étant passablement incriminante comme ça. Quoi qu'il en soit, il peut bien s'en aller et rapporter avec lui toutes ses propositions malhonnêtes. Jamais nous n'accepterons. Notre décision est irrévocable.

***

Le procès aura lieu dans deux jours et je ne suis pas rassurée. Je suis persuadée que Michel Chartier et ses amis n'abandonneront pas aussi facilement. Alex a encore pris congé. Combien de temps son employeur acceptera-t-il de collaborer? Ce n'est vraiment pas le temps d'avoir un chômeur dans la maison! Les regards que les gens m'adressent pèsent toujours sur moi comme autant d'accusations contre lesquelles toute tentative de défense est inutile... Ce matin, je n'ai pas osé affronter le verdict silencieux et hypocrite des villageois, leurs regards remplis de préjugés. Je me suis enfermée dans la maison, entretenant mon ressentiment avec une complaisance presque masochiste. Les stores sont tirés. L'intérieur de l'appartement repose dans le silence. Alex dort, essayant de rattraper le sommeil perdu au cours des dernières nuits. Je n'ai pas le courage de faire le ménage. Des verres sales traînent ici et là et une fine couche de poussière recouvre la partie supérieure du poste de télévision. Pourtant, je dois réagir avant de m'enfoncer définitivement dans la dépression!

Je n'arrive pas à me concentrer sur ma lecture. Les lignes sautent devant mes yeux, les mots se perdent dans la tourmente soufflant sur mon esprit. Mon estomac est noué. Je regarde l'heure à ma montre: neuf heures quinze. La journée commence à peine et j'ai l'impression qu'elle dure déjà depuis une éternité... Je devrais imiter Alex, m'étendre un peu, essayer de récupérer, moi aussi, les heures de sommeil que Tony Talbot a réussi à me voler.

*** 

Je patiente depuis déjà trop longtemps. J'ai hâte de savoir si je suis réellement enceinte. Le docteur Pierre Poitras me connaît depuis l'âge de cinq ans. Septuagénaire toujours fringant malgré les rhumatismes et une vue un peu basse, ce brave homme s'adonne à son art avec une passion qui fait rougir plusieurs de ses collègues plus jeunes. Nous avons pris rendez-vous pour la fin de l'après-midi. J'ai demandé à maman de m'accompagner, en prétextant des courses urgentes.

La ville a repris ses couleurs de muraille. Le froid est revenu à l'improviste, obligeant les oiseaux à rester au nid. Je n'ai guère adressé la parole à maman pendant toute la durée du trajet, je ne rêve qu'à cette grossesse probable. Ma mère sait que je lui cache quelque chose d'important et elle m'en veut de ne pas lui faire confiance. Si elle savait la surprise que je lui réserve! J'ai essayé, à deux ou trois reprises, de lui dire, mais j'attends d'être certaine. Je ne veux pas la décevoir. Le docteur Poitras, quand je l'ai informé des raisons de ma visite, n'a pas perdu de temps. Il m'a dit, dans son langage simple et coloré: *Amène-toi le plus rapidement possible; je vais faire en sorte d'obtenir*

*sur-le-champ le résultat de ton examen. Quand tu quit-*
*teras mon bureau, tu sauras à quoi t'attendre!* L'auto
ralentit à la hauteur de l'hôtel de ville. Les pié-
tons avancent rapidement pour lutter contre le
froid. Enfoncés dans leur parka, ils regardent droit
devant eux sans se préoccuper des gens qu'ils
croisent. De la vapeur s'échappe de leur bouche
et de leurs narines. Les petits nuages, aussitôt à
l'air libre, forment des arabesques éphémères
avant de disparaître définitivement dans l'atmosphère chargée d'humidité de la rue. Mon visage
est presque entièrement caché par un foulard de
laine. Seuls mes yeux dépassent et le bout de mon
nez. Ainsi accoutrée, j'ai l'impression d'être invisible. Personne ne me reconnaît, je peux me rendre là où je le désire, sans craindre de subir les
assauts des regards hostiles ou réprobateurs.

La chaleur est accablante dans le cabinet désert du docteur Poitras. La réceptionniste, une
femme de cinquante ans, s'excuse pour ce «petit
désagrément», dit-elle, causé par une défectuosi-
té du système de climatisation. Je transpire abon-
damment.

— Le docteur Poitras sera à vous dans quelques instants, madame Roussel. Mettez-vous à
l'aise...

Un poste de radio joue une mélodie en sourdine dont je suis incapable de me souvenir du
titre. Pour passer le temps, j'essaie de me concen-

trer sur la musique. Ma mémoire refuse obstiné-
ment de s'ouvrir. Je suis assise depuis à peine dix
minutes lorsque le docteur Poitras, précédé d'une
femme que je connais vaguement de vue, fait
irruption dans la salle d'attente.

— Hello, Line! Content de te voir. Entre.

Je pénètre dans le cabinet de consultation tandis que, dans mon dos, courent les regards de la
réceptionniste et de la femme qui vient de dire au
revoir au docteur Poitras. Tout cela finira-t-il jamais un jour?

***

Voilà. Je sais maintenant à quoi m'en tenir,
c'est très simple. J'avais bien deviné. Enceinte, je
suis enceinte! Quelle joie! J'ai hâte de l'annoncer
à mes parents, à mes frères, à mes sœurs et surtout à Alex. J'ai hâte de voir la tête qu'il va faire
quand je vais lui annoncer la nouvelle. Notre
premier enfant, c'est la nouvelle la plus magnifique que j'aie jamais eu à annoncer. J'ai toujours
désiré avoir des enfants, le plus possible. J'aime le
sourire des bébés et le rire espiègle des lutins.

***

Alex arbore son air préoccupé et tourmenté.
Je ne lui ai pas parlé de la visite que j'ai rendue au
docteur Poitras, ce matin. Je veux lui faire la

surprise, mais je crois qu'il s'en doute un peu. Mon humeur est débordante. J'ai une envie folle de lui annoncer qu'il sera bientôt père. Mais je me retiens, je fais durer le plaisir, je garde le secret le plus longtemps possible, je patiente encore et encore. Comme je le fais toujours lorsqu'il s'agit de lui annoncer une bonne nouvelle ou de lui donner ses cadeaux d'anniversaire. Le repas du soir se déroule dans une atmosphère de joie. Alex sait que je lui cache quelque chose. Il me connaît depuis assez longtemps pour savoir quand j'ai une surprise pour lui. Je joue à cache-cache avec les mots, je mets sa patience à l'épreuve avec mes mille et une devinettes. Finalement, après m'être bien amusée, je lui lâche la surprise d'une seule traite.

— Alex, je suis enceinte!

# CHAPITRE 5

# ÉCHEC ET MAT

Le décor et les acteurs sont les mêmes, j'ai l'impression bizarre de me réinstaller dans un cauchemar familier. Le procureur de la Couronne, Me Paul Fournier, me paraît moins nerveux qu'il y a trois semaines. Je me rends compte, maintenant, que cet homme n'est pas hautain mais timide. Sa visite à la maison m'a fait du bien, elle m'a redonné confiance en moi et dans ma capacité de reprendre le terrain perdu. Chartier et son défenseur paraissent détendus; leurs regards vont et viennent, hésitant entre la petite grappe des journalistes – toujours les mêmes – et l'îlot que forment, au centre du prétoire, le président du tribunal, le huissier et la sténographe.

— Votre Honneur, j'appelle à la barre l'agent Wilfrid Simard.

Me Blackburn paraît dangereusement en forme. Je ne sais si c'est mon imagination qui me joue des tours, mais il me semble que son teint est plus bronzé que la dernière fois que nous

nous sommes rencontrés. L'agent me paraît très à l'aise dans les circonstances. Je reconnais ce visage, c'est le policier qui a procédé à l'arrestation de Chartier. J'avais remarqué sa façon cavalière d'aborder mon agresseur, tous deux ne semblaient pas étrangers. Il avance d'un pas assuré en direction de la boîte des témoins.

— Jurez-vous de dire la vérité, toute la vérité, rien que la vérité? Dites «je le jure» en mettant votre main droite sur cette bible.

— Je le jure.

L'agent Simard porte son uniforme, sa voix est forte et résonne bien dans la salle. Il semble d'attaque et je me demande s'il saura affronter Me Blackburn qui avance maintenant dans sa direction. Ce dernier, l'air préoccupé, revient vers la table qui lui a été assignée et sur laquelle reposent, éparses, les notes relatives au procès. S'appuyant sur le rebord du meuble, il demande à l'agent Simard:

— Voulez-vous décrire à la Cour dans quelle condition était madame Roussel lors de l'arrestation de Chartier?

— Madame Roussel était confortablement assise du côté du passager.

— À première vue, est-ce que madame Roussel semblait être blessée physiquement? Avait-elle des blessures quelconques?

— Non, absolument pas. Je n'ai vu aucune

blessure sur son visage ni sur ses mains, tant qu'au corps...

— Monsieur Simard, dans quel état d'esprit était madame Roussel?

— Elle fixait sans cesse le fond de la voiture et lorsque je me suis adressé à elle, elle gardait le silence.

— Voulez-vous expliquer à la Cour ce que vous affirmez?

— Eh bien, à trois reprises j'ai demandé à madame Roussel de s'identifier mais elle semblait muette.

— Face à ce refus, de quelle façon avez-vous réagi?

— Objection, Votre Honneur! Ma cliente n'a rien refusé!

— Objection retenue. Posez votre question différemment, Me Blackburn.

Non mais, qu'est-ce qui se passe? Cet agent n'a rien compris! Pourquoi ne leur dit-il pas que j'avais peur? Que j'étais traumatisée! Je comprends où la défense veut en venir. Elle tente de faire planer le doute sur ma participation volontaire à mon propre viol. C'est très habile de sa part.

— Face à ce silence, monsieur Simard, de quelle façon avez-vous réagi?

— J'ai dit à Madame: «Êtes-vous Line Roussel?» En réponse à ma question, elle a acquiescé d'un léger signe affirmatif de la tête, à peine visible.

— J'en ai terminé avec ce témoin, Votre Honneur.

— Eh! un instant!

Inutile d'insister, monsieur Simard, il est trop tard, M$^e$ Blackburn a eu ce qu'il voulait. Pourquoi ne pas lui avoir dit que mon silence était causé par un traumatisme? Qu'est-ce que vous attendiez? Votre témoignage suggère que j'accompagnais volontairement Chartier. Une compagne d'un soir quoi? Que l'on ramène tout bonnement à la maison, confortablement assise du côté du passager. À quoi est-ce qu'il s'attendait? À me retrouver dans la valise de la voiture, pieds et mains ligotés? C'est complètement absurde, mais cela suffira à semer le doute dans l'esprit du juge. M$^e$ Fournier, mon procureur, malgré ses compétences ne parviendra pas à limiter les dégâts. Je ne me suis jamais sentie aussi seule de toute ma vie. Je sens peser sur moi le regard inquiet du procureur de la Couronne. Lorsque nos yeux se rencontrent, je crois deviner un peu d'encouragement dans son expression. *Allons, du courage, tout n'est pas perdu... Je serai convaincante lorsque mon tour viendra.*

L'heure qui suit le témoignage de l'agent Simard est consacrée aux experts et à certains proches de Chartier, dont ses parents. Défilent tour à tour à la barre un météorologiste, qui vient confirmer que, le soir de mon agression, la temps était froid; le sergent Fontaine, qui explique dans quel état j'étais lorsque j'ai été conduite au quartier général de la Sûreté et, enfin, le médecin qui m'a examinée à l'urgence de l'hôpital local. J'écoute distraitement ce que ces gens ont à dire. Tous ces détails techniques me laissent indifférente. Je crains que le témoignage de l'agent Simard ait aussi ébranlé la certitude d'Alex. De temps à autre, je l'observe du coin de l'œil. Rien, dans son attitude, ne tend à confirmer mes appréhensions... Le fil de mes réflexions est brusquement interrompu par la voix du huissier qui appelle Michel Chartier à la barre. Je me raidis sous l'effet de la tension qui s'empare de mes muscles. Je suis anxieuse et impatiente d'entendre enfin la version de mon agresseur. Celui-ci se rend dans la boîte des témoins en marchant avec assurance. Il est rasé de près, ses vêtements sont fraîchement repassés et le col ouvert de sa chemise resplendit d'un blanc éclatant. Cet homme n'est pas celui qui m'a forcée à avoir des relations sexuelles avec lui, c'est un pauvre type qui, accusé injustement d'un crime dont il n'est pas coupable, se prépare à être broyé dans l'étau de la justice. Bravo, Me Blackburn! vous avez fait du beau travail en transformant si rapidement une bête en ce qui semble être un individu normal. L'avocat de la défense ayant demandé à ce que son client témoigne, c'est lui qui, le premier, commence à l'interroger.

— Monsieur Chartier, expliquez à la Cour les raisons qui vous ont amené ici.
— Objection, Votre Honneur. L'avocat de la

défense doit demander à son client de témoigner, rien de plus.

— Objection retenue. Me Blackburn, j'exige que vous vous conformiez aux usages de la Cour. Je vous préviens que je sévirai contre toute remarque faite dans le but de m'influencer.

Me Blackburn, malgré le ton sévère employé par le juge pour le ramener à l'ordre, ne paraît nullement ébranlé. J'ai même l'impression que la remarque du juge l'a laissé complètement indifférent.

— Monsieur Chartier, racontez-nous ce que vous avez fait le vingt-sept novembre dernier, dans les heures qui ont précédé votre rencontre avec madame Roussel...

— Objection, Votre Honneur! La défense laisse entendre que son client et madame Roussel se sont rencontrés, alors que nous savons tous que ce n'est pas le cas.

— Objection rejetée. La Cour déterminera plus tard dans le déroulement de ce procès de quelle manière madame Roussel et monsieur Chartier ont fait connaissance. Le témoin peut poursuivre...

— J'ai bu quelques bières dans une taverne dont j'ai oublié le nom. Je suis resté là de trois heures à cinq heures de l'après-midi. J'ai quitté cet endroit pour me rendre dans un *Harvey's* où j'ai mangé deux hamburgers. Je ne me souviens pas à quelle heure j'ai quitté cet endroit. Vers sept heures, je suis rentré dans un club de strip-teaseuses... Quand je suis sorti, vers dix heures, je me suis mis à la recherche de quelqu'un qui pourrait me vendre un peu d'acide...

— Et ce quelqu'un, vous l'avez trouvé?

— Oui, bien sûr...

— Est-ce que vous vous souvenez de ce qui est arrivé ensuite?

— Pas vraiment...

— Veuillez faire part à la Cour de ce dont vous vous rappelez...

— Eh bien, ce n'est pas facile, mais je vais essayer.

Ce type ment comme il respire. Tout le monde dans la salle est suspendu à ses lèvres. Michel Chartier parle lentement, appuyant sur chacun de ses mots, ce qui donne plus d'emphase à son témoignage. De temps à autre, il hésite, comme s'il cherchait l'expression la plus en mesure d'illustrer sa pensée. Quel comédien! À côté de lui, je ne fais pas le poids...

— J'ai marché pendant un certain temps en prenant soin de ne pas me faire remarquer. Je cherchais un endroit achalandé pour passer le reste de la soirée. Je suis entré dans deux ou trois bars pour en ressortir presque aussitôt. Je me suis vite écœuré de cette tournée qui ne rimait à rien. Alors que je passais près d'une voiture dont le moteur tournait, je me suis dit que la meilleure façon de passer le temps, c'était de rouler dans la nuit. Je me suis précipité derrière le volant et j'ai pris la route de Saint-...

— Aviez-vous une raison particulière de vous rendre dans cet endroit?

— Oui, je voulais revoir ma famille, mon père, surtout...

La voix de Michel Chartier semble vouloir se briser. Du grand art! Habile, M<sup>e</sup> Blackburn saute sur l'occasion de renvoyer la balle à son client. Avec componction, il l'encourage à continuer.

— En pénétrant dans le village, j'ai emprunté la mauvaise direction. Je me suis retrouvé près du complexe d'habitations dans lequel Line demeurait.

— Objection, Votre Honneur. La familiarité dont fait preuve le client de M<sup>e</sup> Blackburn envers le témoin de la poursuite est parfaitement déplacée.

— Objection retenue. Poursuivez, monsieur Chartier.

— Je ne savais pas que Line... que madame Roussel habitait là. Je cherchais un endroit pour dormir, j'avais l'impression de flotter dans un rêve. Je me suis rendu compte seulement à ce moment-là que j'avais trop pris d'acide. Je ne pensais plus à me rendre chez mes parents, tout ce que je voulais, c'était de trouver un lit sur lequel m'étendre.

— L'appartement de madame Roussel était-il le premier dans lequel vous avez essayé de pénétrer?

— Non, c'était le deuxième.

— Quand vous vous êtes introduit dans le domicile du témoin de la poursuite, aviez-vous l'intention de vous en prendre à ses occupants?

— Non, absolument pas! Cette idée ne m'est jamais venue à l'esprit. Je vous l'ai déjà dit, je n'étais pas dans mon état normal, j'étais drogué jusqu'à la moelle!

— Saviez-vous, à ce moment-là, que vous vous trouviez dans l'appartement d'Alex Roussel, votre ami d'enfance?

— Objection, Votre Honneur! La défense essaie d'influencer la Cour par une remarque insidieuse.

— Objection retenue. C'est la dernière fois que je vous rappelle à l'ordre, Me Blackburn.

— Monsieur Chartier, saviez-vous que cet appartement était habité par Alex Roussel?

— Non. J'ai vu ce nom sur une plaque vissée à la porte mais je n'étais pas dans un état pour effectuer un rapprochement avec mon passé.

— Qu'avez-vous fait une fois à l'intérieur?

— Je ne me souviens pas de tous les détails...

— Dites à la Cour de quelle manière vous vous êtes retrouvé dans la chambre de madame Roussel.

— C'est arrivé sans que je m'en rende compte réellement. Je me rappelle avoir poussé une porte. Quelqu'un, un adolescent, dormait dans un lit. Je suis resté là pendant deux ou trois secondes, ne sachant trop si je devais quitter cet appartement ou y rester. J'étais en train de m'interroger sur ce que j'allais faire, quand j'ai entendu un mouvement derrière moi. Cela provenait d'une chambre à l'autre bout du couloir. J'ai tourné les talons et j'ai marché dans la direction d'où venait ce bruit. C'est alors que je l'ai aperçue.

— Qui avez-vous aperçu, monsieur Chartier?

— Madame Roussel.

— Que s'est-il passé, à partir de ce moment?

— J'ai de la difficulté à me rappeler...

— Votre Honneur, le témoin semble avoir une mémoire sélective, il arrive seulement à se souvenir des faits qui l'avantagent.

— Calmez-vous, M^e Fournier! Donnez la chance à monsieur Chartier de s'exprimer. Vous aurez bientôt tout le temps que vous désirez pour l'interroger. Le témoin est prié de poursuivre.

— Elle était en train de se réveiller. J'ai pensé m'en aller mais, aussitôt formulée, cette pensée a disparu de mon esprit. Line... madame Roussel était nue. Je me suis approchée du lit lentement. Je ne voulais surtout pas l'effrayer, rien que la regarder. Euh... ça a été plus fort que moi. J'ai commencé à me déshabiller et c'est à ce moment qu'elle s'est réveillée pour de bon.

— Quelle a été la réaction de madame Roussel lorsqu'elle vous a aperçu?

— Elle a eu un mouvement de recul.

— A-t-elle crié?

— Non.

— N'a-t-elle pas cherché à s'enfuir?

— Objection, Votre Honneur. La défense...

— Objection rejetée. Poursuivez, M^e Blackburn.

— Répondez à ma question, monsieur Chartier : le témoin de la poursuite a-t-il tenté de s'enfuir?

— Non.

— Comment avez-vous réagi face à ce comportement?

— Je me suis dit que madame Roussel consentait à avoir des relations sexuelles avec moi.

— Le témoin de la poursuite a certainement eu une réaction, lorsque vous avez pris place à ses côtés? Décrivez-nous ce qui s'est passé, monsieur Chartier.

— Elle a eu un mouvement de recul.

— Comment avez-vous interprété ce geste?

Michel Chartier hésite, il baisse les yeux et marmonne quelque chose. Les journalistes, tassés autour de leur table, ne perdent pas un mot du témoignage. Je n'en crois pas mes oreilles, en fait, je me demande si je suis réellement concernée par ce que je viens d'entendre. Cette histoire n'est pas la mienne, Chartier ment effrontément depuis qu'il a pris place dans le box des témoins. Son attitude est répugnante. Je me rappelle chaque minute ayant précédé les événements qui ont marqué cette soirée, au cours de laquelle ma vie a été bouleversée. Tous ces instants ont été photographiés dans mon esprit, puis collés dans l'album des mauvais souvenirs. Je les regarde de temps à autre, comme maintenant, alors que je vacille entre la réalité et le cauchemar. Je ne comprends pas pourquoi tout cela est arrivé, je ne comprends pas pourquoi j'ai été abandonnée à mon destin par Jimmy et Simon;

ils étaient les seuls qui auraient pu éviter que cette tragédie ne se produise. Ils n'ont rien fait. Je ne comprends pas pourquoi cet individu est en train de chercher la sympathie du juge alors qu'il m'aurait probablement tuée si j'avais résisté à son agression! Je ne comprends pas...

Le juge penche la tête en avant et son front plissé trahit une profonde contrariété.

— Parlez plus fort, j'ai de la difficulté à entendre ce que vous dites, monsieur Chartier!

— J'ai cru qu'elle était timide. Enfin, vous voyez ce que je veux dire...

— Non, nous ne voyons pas ce que vous voulez dire. Faites en sorte d'être plus clair dans vos explications, monsieur Chartier!

Le juge paraît vraiment en colère. J'espère qu'il commence à se rendre compte que Me Blackburn et son client sont en train de lui monter un bateau. En appuyant volontairement sur les dernières paroles de sa remarque, le président du tribunal a démontré qu'il commençait à être sérieusement agacé par les faux-fuyants de la défense.

— Je vous l'ai dit: j'étais drogué, je ne savais plus vraiment ce que je faisais là, je me trouvais dans un état second. Tout était confus dans mon esprit...

Michel Chartier laisse sa phrase en suspens.

Quelques secondes s'écoulent, interminables. Le silence est palpable. Quelqu'un tousse, ce qui a pour effet de détendre l'atmosphère. Je suis en état de choc. Ahurie, devrais-je dire. Ainsi, j'ai été violée par un drogué qui ne savait pas ce qu'il faisait! Sur un regard bref en direction du juge, Me Blackburn se retire, abandonnant son client à la poursuite.

— Monsieur Chartier, la drogue ne vous a tout de même pas empêché d'avoir une érection et de vous livrer...
— Objection, Votre Honneur!

La voix de Me Blackburn a claqué comme un coup de fouet. Surpris, le juge réagit avec quelque retard.

— Objection rejetée. Le témoin est prié de répondre à la question de Me Fournier.

Pour la première fois depuis le début de son témoignage, Michel Chartier paraît embarrassé. Il hésite, inspire profondément, et lâche enfin, du bout des lèvres:

— Euh, oui...
— Oui, quoi? Monsieur Chartier, veuillez parler plus fort, que tous entendent ce que vous avez à dire.
— Objection, Votre Honneur! Me Fournier essaie d'intimider le témoin.

— Objection retenue!

Je préfère ne pas en entendre davantage. J'essaie de me concentrer sur autre chose, je veux obliger mon esprit à quitter ce prétoire qui ressemble de plus en plus à une salle de tortures. J'observe Alex du coin de l'œil. Lui aussi trouve le temps long...

*** 

«Ça n'arrive qu'aux autres», entend-on fréquemment, quand l'atmosphère d'une soirée entre amis se prête à l'évocation des drames étalés quotidiennement dans les journaux et à la télévision. C'est aussi ce que je me dis, autant pour garder désormais le mauvais sort à bonne distance de ma vie que pour masquer le fait que je fais maintenant partie des statistiques. Je me suis rendu compte, à mes dépens, que *ça* n'arrive pas seulement qu'aux autres, que le destin choisit aveuglément ceux dont il veut faire des exemples... Ce matin, je lisais dans le journal que le corps d'une adolescente de 17 ans, enlevée alors qu'elle sortait d'un bar, avait été retrouvé, flottant nu, dans le fleuve Saint-Laurent. Je dois avouer que j'ai été plus chanceuse que cette malheureuse. J'ai été épargnée. Quelque chose est mort en moi. Quelque chose de précieux et d'unique. Mais je suis toujours en vie. Je suppose que je dois me réjouir d'être tombée sur un type qui n'a pas répondu jusqu'au bout à l'appel de la violence... J'ai fait lire à Alex l'article du journal relatant le drame. J'étais très énervée sans être capable de dire pourquoi. J'ai dit à Alex: *Regarde combien j'ai été chanceuse!* Il m'a observé quelques instants, avant de répondre: *Tout est fini maintenant, oublie ce qui aurait pu t'arriver, tu en as assez sur les bras avec le procès; arrête surtout de lire les journaux, ce n'est pas bon pour ton moral.* Je ne sais pas s'il a raison. En tout cas, je suis certaine de ne pas avoir totalement tort. C'est que je vis encore, moi...

Michel Chartier a trouvé la partie plus difficile avec M^e Fournier; celui-ci, pendant plus d'une heure, ne l'a pas lâché. J'espère que l'habileté de l'avocat aura permis de racheter les erreurs que j'ai commises durant mon premier témoignage. À l'interruption d'audience, sur le coup de midi, le soulagement, mais aussi la crainte, se lisaient sur le visage jusque-là confiant et orgueilleux de mon agresseur.

Je suis nerveuse, car je dois revenir à la barre cet après-midi. Tout va se jouer sur mon témoignage, j'en ai obtenu une fois de plus la confirmation dans le regard de M^e Fournier, quand il m'a offert de l'accompagner à la cafétéria du palais de justice. Alex sait également à quoi s'attendre. Il n'a pas ouvert la bouche depuis que nous avons quitté la salle d'audience. J'espère qu'il ne regrette pas de m'avoir soutenue. Tout ce que je désire, c'est de me montrer digne de sa confiance. Je sais qu'il m'aime et cela suffit pour me redonner courage. Je suis dans le dernier droit, après cet ultime effort, j'aurai tout le temps d'oublier. Alex a compris que mon attitude envers lui était la même qu'à l'époque de nos fréquentations. Dans sa foncière honnêteté, il a surtout admis que je pouvais rassembler les pans de ma vie en lambeaux, à la condition qu'il me témoigne un peu de compréhension. Lui, il n'éprouve pas de difficultés à oublier. Je crois qu'il a conditionné son esprit, qu'il l'a obligé à faire disparaître tout ce qui m'est arrivé cette nuit-là et que ce procès, du moins en ce qui le concerne, est le dernier accident de parcours d'une vie en train d'être reconstruite morceau par morceau. À sa manière, il a trouvé la paix. Comme j'aimerais pouvoir en dire autant, alors que le témoignage de Michel Chartier a rouvert des plaies que je croyais en voie de cicatrisation. Peut-être ai-je surestimé mes forces? Aurais-je eu la même réaction si Alex avait vécu cette aventure à ma place? Les hommes, il est vrai, à moins d'être en prison, ne se font pas violer...

À travers les fenêtres du corridor reliant la cafétéria au hall principal, j'aperçois la neige sale en train de s'amonceler autour de l'aire de stationnement réservée au personnel du palais de justice. Le petit groupe que nous formons, Me Fournier, Alex et moi, prend la direction de la salle d'audience. Personne ne ressent le besoin d'entretenir la conversation. À quoi bon? Tout n'a-t-il pas déjà été dit? Nous devons maintenant nous en remettre à la justice et, peut-être, à la chance. Je préfère ne pas mêler Dieu à ce qui se passe, étant donné qu'il a semblé plutôt indifférent à mon sort jusqu'à présent! J'ai froid et me retiens à grand peine de frissonner. La nervosité, sans doute, ou une bonne grippe en perspective! L'hiver s'est installé avec la tranquille assurance que lui autorise la nature. Je n'aimerai plus jamais la neige, car elle me rappellera trop de mauvais souvenirs. Le froid sera désormais synonyme de tristesse, d'abandon de toutes choses. J'ai décidé d'affronter les regards, tous les regards, sans exception. Je n'ai pas à ressentir de la honte, encore moins de la gêne. En pénétrant dans le prétoire, je m'aperçois que j'avance presque coude à coude avec Me Blackburn. Lorsqu'il se rend compte de ma présence, il est trop tard. Nos yeux se croisent au moment où nous nous séparons, lui pour se rendre à la table qui lui a été assignée, moi pour m'installer dans la première rangée des chaises réservées au public. Il me sourit bêtement tandis que mon visage demeure sans expression. Je soutiens son regard et c'est lui qui, le premier, abandonne. C'est une petite victoire, mais une victoire quand même!

***

Me Blackburn et moi sommes maintenant de vieilles connaissances... Son manège ne m'impressionne plus, ses effets de toge me laissent complètement froide. Je suis prête à l'affronter et je ne crains plus les journalistes, qui m'observent toujours comme si je venais de débarquer d'une autre planète. Je considère le juge comme un allié sans trop comprendre les raisons de mon choix. Peut-être est-ce son attitude... À plusieurs reprises, alors que Chartier faisait son numéro dans la boîte des témoins, j'ai remarqué de l'agacement se peindre sur le visage du président du tribunal. Suis-je devenue trop confiante? J'espère que non. À tout prendre, je n'ai plus rien à perdre. Je dois jouer ma partie comme si ma vie en dépendait. D'une certaine façon, c'est bien de mon existence qu'il s'agit ici, car si je ne parviens pas à convaincre le juge de ma bonne foi, je n'aurai pas assez de temps à vivre pour maudire ma naïveté.

— Madame Roussel, je n'ai pas besoin de vous rappeler l'importance de votre témoignage; je crois que vous savez maintenant que le sort de mon client repose entièrement sur ce que vous allez dire...

J'éprouve de la difficulté à cacher mon étonnement. J'avoue que je ne m'attendais pas à ce genre d'ouverture de la part de Me Blackburn, qui paraît décidé à ne pas faire preuve d'agressivité. Je dois me méfier, sinon je risque de tomber dans le même piège qu'il y a trois semaines. Je sens le regard du juge peser sur moi, tandis que l'avocat de Chartier reprend:

— Lorsque, de leur plein consentement, deux personnes adultes et dotées d'une intelligence normale décident d'avoir des relations sexuelles,

elles font en sorte d'en retirer le plus de plaisir possible. N'est-ce pas, madame Roussel?

— Objection, Votre Honneur! La défense essaie de suggérer une réponse au témoin.

— Objection retenue! Allez directement au fait sans tourner inutilement autour du pot, Me Blackburn!

— Madame Roussel, vous savez ce que veut dire l'expression «agir de son plein consentement»?

— Oui, bien sûr...

— Vous savez également ce que veut dire l'expression «résister à un agresseur»?

Je ne puis m'empêcher de sourire. Ainsi, nous revenons à la case départ. Cette fois, je suis prête.

— Oui.

— Alors, pourquoi, pendant toute la durée de votre présumée agression...

— Objection, Votre Honneur! Le client de Me Blackburn a plaidé coupable à l'accusation portée contre lui.

— Votre Honneur, mon client a plaidé coupable, mais la Cour doit tenir compte des circonstances atténuantes. Michel Chartier était sous l'effet de la drogue quand il a fait des avances à madame Roussel et...

— Me Blackburn, il est encore trop tôt pour élaborer votre plaidoirie. Veuillez vous en tenir aux faits. L'objection est retenue!

— Madame Roussel, pourquoi n'avez-vous pas

résisté? Pourquoi, surtout, n'avez-vous pas tenté de vous enfuir ou d'appeler à l'aide alors qu'il a été démontré devant cette Cour que vous avez eu l'occasion d'agir dans ce sens?

— La peur m'a empêchée d'agir.

— Vous avez fait cette affirmation à plusieurs reprises, madame Roussel. Cela n'explique pas le fait que vous ayez embrassé Michel Chartier peu de temps avant qu'il ne vous ramène chez vous.

J'inspire à fond, m'efforçant de conserver mon calme et de donner à ma voix une assurance que je suis loin de ressentir. Je ne puis me permettre la moindre distraction, le plus petit écart de langage. *Soyez vous-même,* m'a dit M<sup>e</sup> Fournier. Je serai donc Line Roussel.

— Je croyais que j'avais affaire à l'évadé de prison qui a été vu rôdant dans les environs durant les jours qui ont précédé l'irruption chez moi de Michel Chartier.

— Allons, madame Roussel, vous n'allez tout de même pas essayer de nous faire croire ça!

— M<sup>e</sup> Blackburn, laissez au témoin la chance de s'exprimer. Poursuivez, madame Roussel...

La remarque du juge me permet d'inscrire un premier gain dans la bataille à finir qui m'oppose à M<sup>e</sup> Blackburn, dont la physionomie, d'ailleurs, en dit long sur l'état d'esprit qui l'anime. Un regard rapide en direction du procureur de la Couronne me confirme que je suis sur la bonne voie.

— Ce soir-là, j'ai sommeillé pendant quelques minutes devant la télé. Lorsque je me suis réveillée, la photo d'un évadé de Parthenais, recherché par la police dans la région, apparaissait sur l'écran. Plus tard, quand je me suis retirée dans ma chambre pour la nuit, je ne pouvais m'enlever de la tête que l'individu rôdait peut-être dans les environs de l'appartement. Lorsque Char... monsieur Chartier a fait irruption près de mon lit, j'ai tout de suite associé sa présence à celle du type de la télévision. J'étais littéralement paralysée.

— N'avez-vous pas été en mesure, à un moment quelconque pendant les heures qui ont suivi, d'identifier formellement mon client comme étant cet évadé de Parthenais auquel vous faites référence?

— Non, mais j'ai essayé à plusieurs reprises.

— Expliquez à la Cour de quelle manière vous vous y êtes prise pour parvenir à vos fins, madame Roussel.

Le ton de M^e Blackburn est volontairement ironique, moqueur. Je serre les mâchoires. Ce n'est pas le moment de me laisser emporter par la colère. D'ailleurs, c'est l'objectif qu'il poursuit: me faire sortir de mes gonds et, ensuite, me tailler en pièces.

— La première fois, c'était dans le terrain de stationnement derrière chez nous. L'éclairage n'était pas suffisant et Chartier me faisait marcher continuellement devant lui, de sorte que je ne pouvais apercevoir son visage. Dans l'auto, j'ai essayé de le dévisager à une ou deux reprises, mais, encore là, il faisait trop sombre. J'ai eu plus de succès au chalet, quand il a ouvert la porte du réfrigérateur pour y prendre une bière. J'ai aperçu son profil droit, éclairé indirectement par la lampe de l'appareil. J'étais presque certaine, à ce moment-là, qu'il s'agissait de l'évadé. Je suis restée sur cette impression jusqu'à ce que mon mari me confirme, sans le savoir, qu'il ne s'agissait pas de lui...

— Michel Chartier est un ami d'enfance de votre mari, n'est-ce pas?

— C'est ce qu'Alex m'a dit.

— Madame Roussel, avez-vous déjà rencontré Michel Chartier avant qu'il ne se présente chez vous dans la soirée du 27 novembre dernier?

— Non.

— En êtes-vous certaine?

— Oui. Je n'ai jamais rencontré cet individu avant qu'il ne fasse irruption chez moi. Et je ne veux plus jamais le revoir!

— Donc, madame Roussel, craignant d'avoir affaire à un dangereux repris de justice, vous n'avez rien fait, comme vous venez de le laisser entendre, qui était susceptible de mettre votre vie en danger. C'est bien ce que vous voulez dire?

— Oui, c'est la vérité.

— Cela ne tient pas debout, Madame, allons!

— Objection, Votre Honneur! Me Blackburn essaie de mettre en doute la crédibilité du témoin de la poursuite.

— Objection retenue! Poursuivez, M<sup>e</sup> Blackburn.

J'ai l'impression de m'être transportée volontairement dans une autre dimension. Je flotte dans un état second, mi-onirique, mi-réel. J'entends les questions insidieuses de l'avocat de Michel Chartier et je m'efforce d'y répondre de la manière la plus simple et la plus naturelle possible. J'essaie d'être moi-même et j'y parviens. Les journalistes paraissent moins intéressés par mon témoignage, je crois bien que, comme moi, ils en ont assez de cette comédie interminable...

# CHAPITRE 6

# UNE VIE SOUS VERRE

Le procès est enfin terminé. Depuis une semaine, j'ai un peu l'impression de recommencer
à vivre. Je sens bien toutefois que mon existence
ne sera plus jamais la même. Je repense à cette
phrase de ma mère qui dit que «le temps est
encore le meilleur docteur». Elle m'aide à être
patiente. Il me suffira alors de surveiller l'horloge
ou, mieux, le calendrier...

La défense et la poursuite ont fait entendre
leur plaidoirie et le juge a pris la cause en déli-
béré. Je suis heureuse d'avoir pu traverser cette
épreuve en me ressaisissant à la dernière minute.
Me Fournier se montre rassurant, optimiste. Pour
lui, il ne fait plus de doute: Chartier ne pourra
bénéficier des circonstances atténuantes. En quittant l'enceinte du tribunal, je n'ai pu m'empêcher
de défier une dernière fois du regard le responsable de tous mes malheurs. J'ai fixé longuement
Michel Chartier avec hauteur et dédain. Je tiens à
ce que les choses soient claires entre nous: il n'a
plus aucune prise sur moi. Je veux tirer un trait

définitif sur cette partie de mon existence, mais pas à n'importe quelle condition; ce sera moi qui déciderai de l'issue du dernier round. Je sais que ce ne sera pas facile, car j'ai la ferme intention de sortir victorieuse de cet ultime combat.

Les événements m'ont rendue très peureuse. Les portes de mon logement sont toujours fermées à clef, le jour comme la nuit. Dès qu'Alex quitte le logement, je cours presque derrière lui pour m'assurer que la porte est bien verrouillée.

Je me refuse la permission de sortir seule, même pour une simple course à l'épicerie du coin. Je vois les enfants dans la rue qui s'amusent et qui glissent avec leur traîneau complètement insouciants de la méchanceté de certains êtres. Heureusement pour eux, ils ne connaissent pas la peur. À bien y penser, le drame que j'ai vécu a malicieusement construit les murs de ma prison.

Alex a bien essayé de faire changer son quart de soir mais la compagnie ne veut rien entendre. Le soir venu, c'est toujours la même crainte qui s'installe en moi et qui me fait revoir sans cesse ce maudit film de quelqu'un qui s'introduit dans la maison et qui me force à le suivre dehors. Tous les craquements deviennent alors suspects et, certains soirs, le silence est affreux à supporter.

Quand je revêts cette longue chemise de nuit épaisse, je ne peux m'empêcher de penser à cette promesse que je me suis faite de ne plus jamais coucher nue. Plus encore, je ne peux supporter que mon lit soit placé face à la porte de ma chambre à coucher. Je crains toujours que l'ombre d'un profil inconnu s'y glisse et me rappelle la silhouette troublante de mon agresseur. C'est viscéral, la peur s'est installée à demeure chez moi.

Mes relations avec les autres également ont changé du tout au tout. Les hommes qui vivent dans mon cercle vital n'ont plus droit à aucune familiarité. Leurs petites farces à double sens ne m'amusent plus et leur simple approche physique, normale pourtant, me fait reculer à chaque fois. La méfiance s'est installée en moi et ce nouveau mécanisme de défense ne reconnaît aucune exception. J'en suis consciente toutefois et j'en souffre.

Il me serait trop facile ici de mettre tous les hommes dans le même panier et de leur coller l'étiquette de violeur potentiel. Heureusement, l'exception n'est pas la masse et avec le temps j'apprendrai sûrement à faire la part des choses.

\*\*\*

Après trois mois de grossesse, je suis de plus en plus malade et je demande d'être libérée de mon travail. Je le sens bien, ce bébé veut absolument prendre sa place, celle qui lui revient d'ailleurs. Cette grossesse me mène la vie dure et me fait même déchanter des bonheurs de la maternité. Et moi qui me faisais une idée toute rose de cette période où l'on fabrique la vie!

Je pense beaucoup à ce premier bébé et je prépare sa venue comme toutes les mères du Québec. Je divise mon temps entre les visites chez le médecin, la préparation de sa chambre, les cours prénataux avec mon conjoint et quelques heures de plein air quand le soleil le permet.

Je me rends jusqu'aux cascades de la rivière qui sépare mon village et je jongle sur ma vie future, le sexe de mon enfant et le bonheur retrouvé.

Je remercie souvent Dieu d'être encore là, bien vivante et enceinte par surcroît. Durant ma nuit d'enfer, je me souviens avoir remis ma vie entre Ses mains. Je Le laissais alors guider mon destin comme Il l'entendait. Je savais qu'Il veillait sur moi.

Pendant ce temps-là, Alex imaginait le pire: mon corps tranché, mutilé, découpé, enfoui au fond d'un fossé. Lui aussi priait et faisait mille promesses à ce Dieu infiniment bon qui permettrait sûrement de sauver sa jeune épouse.

À cette époque, comme tous les jeunes couples de trois mois, il nous arrivait de nous emporter et dialoguions très peu. Nous trouvions cette période d'adaptation très difficile. Alex se souciait peu de moi et ne semblait vivre que pour lui-même. Je lui appartenais, je faisais partie de ses biens et il m'aimait à sa façon.

Si la nuit du 27 novembre a été ma pire nuit, elle aura été aussi la nuit des révélations pour Alex. En effet, perdu dans sa détresse, il s'en voulait de ne pas m'avoir témoigné tout l'amour dont il était pourtant capable de me témoigner. Alors qu'il croyait m'avoir perdue à tout jamais, il voyait enfin toute la place que j'occupais dans son cœur. Cette nuit-là, il découvrit vraiment qu'il m'aimait, qu'il m'aimait sincèrement et beaucoup plus qu'il ne l'avait cru. Au fond de lui-même, il me promettait une vie meilleure et, au petit matin, quand je l'ai retrouvé, j'ai vu une lueur spéciale dans ses grands yeux bleus, lueur que je n'avais jamais vue auparavant. Cette agression venait aussi de modifier quelque chose d'important chez lui.

# CHARTIER CONDAMNÉ À 7 ANS POUR VIOL

**SAINT-...** – **Michel Chartier a été condamné à sept ans de pénitencier pour le viol d'une femme de 18 ans mariée depuis trois mois avec l'un de ses compagnons d'enfance.**

En rendant cette sentence hier, le juge Thomas Simard de la Cour supérieure du district a rappelé que la sympathie et la pitié des tribunaux allaient à la victime parce que les femmes ont droit à la protection de la société contre de tels actes.

Chartier, âgé de 25 ans, du Lac-Rond, avait été intercepté à un barrage de police le 27 novembre avec la dame nue qu'il a trimbalée dans sa voiture après avoir été la chercher dans son lit pendant que son mari travaillait.

Le juge Simard a souligné que les circonstances qui entouraient ce crime révoltant justifient une préséance des facteurs d'exemplarité et de la protection de la société.

Chartier avait admis sa culpabilité à ce viol, ce qui le rendait passible de la détention à perpétuité.

Dans son résumé, le juge Simard a relaté que le prévenu avait passé la soirée dans un club de strip-tease, ce qui l'a excité.

La victime avait regardé à la télévision un feuilleton montrant l'enlèvement d'une femme et de sa prise en otage et entendu un bulletin d'information à l'effet que la police était à la recherche d'un dangereux évadé de la prison locale.

En sortant du club, Chartier s'est rendu dans une conciergerie et a pénétré dans un appartement où un mari et sa femme étaient couchés ensemble.

Il va ensuite à l'appartement voisin où il trouve la jeune femme seule.

Chartier impose alors sa volonté à la femme terrorisée.

La victime était convaincue que cet individu était l'évadé dont elle avait entendu parler et qu'elle serait l'objet d'une prise en otage.

Chartier oblige la jeune femme à quitter l'appartement flambant nue alors qu'il fait six degrés et la traîne à sa voiture.

Un beau-frère, qui avait vu cette scène de sa fenêtre, a alerté la police.

Chartier oblige la victime à se pencher pour ne pas être vue et l'outrage grossièrement.

Il l'a conduite dans un chalet vacant où il est entré par effraction, et l'a violée.

Chartier est ensuite arrêté sur le chemin du retour par un policier qui était l'un de ses amis.

Le juge Simard a mentionné que choisir comme victime de son viol la femme d'une connaissance d'enfance dénote un cynisme inqualifiable.

Il a dit qu'il était clair que Chartier, en plus du viol, s'était rendu coupable d'enlèvement, de séquestration, d'effraction et de vandalisme.

Le juge Simard a souligné que l'accusé avait conscience qu'il était en face d'une proie facile et obéissante et il ne s'est pas gêné de lui commander comme on commande à un chien.

Selon lui, le fait que Chartier ait sorti le victime dans ses bras, pour qu'elle ne se coupe pas les pieds, sur des morceaux de verre brisé n'est qu'une goutte dans cette mer de mépris, d'humiliation et de peur qu'il a infligés à sa victime.

Le juge Simard a ajouté que l'allégation de boisson et de drogue pour expliquer un comportement inexplicable ne constitue pas une excuse.

Ce matin, 16 juin 1980, les gros titres des journaux ressemblent tous à celui qui apparaît en page frontispice du quotidien local et qui, contrairement à ce que je m'attendais, me laissent totalement indifférente.

Les senteurs de l'été m'aident à m'éloigner de toute cette histoire. Cependant, le vague à l'âme me surveille du coin de l'œil. Mon ventre est rond et je suis malade. J'ai des nausées, je suis incapable de digérer la nourriture solide. Les gens du village ne parlent presque plus de l'affaire. La nouvelle de la condamnation de Michel Chartier ramènera le drame à la surface, mais je suis convaincue que cela ne durera pas. Ce fait divers est bel et bien classé. Du moins pour ceux qui n'y ont pas été directement impliqués... Maman et papa agissent avec moi comme s'il ne s'était rien passé; mes frères et mes sœurs ont adopté le même comportement. Les regards des voisins se font discrets, je crois discerner maintenant de la compréhension dans leurs yeux.

Lentement, entre deux séances de vomissements, je me suis mise à écrire. Rien de vraiment particulier, j'écris pour me changer les idées, je mets mes réflexions sur le papier sans aucune arrière-pensée. Mes premières phrases ont été pour maman. Je m'adresse à elle comme à l'époque insouciante de mes seize ans. Je ne sais pas encore si je lui remettrai le fruit de mes réflexions. Un jour, peut-être... Alex m'inquiète, j'ai peur qu'il ne s'enfonce dans une dépression sévère, de laquelle il ne pourra s'extirper qu'avec difficulté. Il me parle seulement quand je lui adresse la parole, les journées qu'il passe à la maison sont interminables. Heureusement, nous ne nous disputons pas. Je me demande, cependant, si une bonne chicane ne serait pas préférable à ce que nous nous faisons endurer présentement. Nous nous observons du coin de l'œil, sur nos gardes. Pour extérioriser mes démons, j'ai exigé, la semaine dernière, de me rendre au chalet suisse où Chartier m'avait amenée. Alex a essayé vainement de me faire changer d'idée. Je savais que cette démarche n'arrangeait nullement les choses entre nous mais je me devais de la réaliser. Un peu embarrassée par ma demande, la dame qui nous a accueillis a quand même consenti à nous laisser entrer. Alex a enduré un véritable martyre. Je m'en veux de l'avoir obligé à m'amener là, mais c'était plus fort que moi.

\*\*\*

— Maman, vous allez bien, je voulais vous jaser un peu.

— Tu fais bien de m'appeler, ma grande, comment va ton moral?

— Pas trop mal. L'été me fait du bien.

— Et Alex?

— Il a l'air songeur. On dirait qu'avec le temps, il devient de plus en plus méfiant. Je crois qu'il commence à mettre en doute ma version des faits.

— Qu'est-ce qui te fait dire ça?

— Il me demande tout le temps de lui décrire ce qui s'est passé avec Chartier. Il m'oblige à lui raconter encore une fois toute la scène et quand je ne lui raconte pas exactement de la même façon que la dernière fois, on dirait qu'il se met à douter de moi.

— L'avocat de Chartier a eu de l'influence sur lui.

— Qu'est-ce que vous voulez dire?

— On dirait qu'il commence à croire l'histoire que l'avocat de Chartier a voulu faire avaler au juge, celle de ta participation à l'agression.

— J'en ai bien peur.

— As-tu toujours confiance en lui?

— Oui, bien sûr.

— Lui, a-t-il confiance en toi?

— Il ne doute pas de moi. Il n'aime pas me savoir seule à la maison quand il travaille. Il s'informe toujours si je dois rencontrer des gens ou si j'ai des sorties de prévues. Je pense qu'il s'inquiète plutôt de ma sécurité.

— Il a peut-être peur d'une autre agression.

— Sûrement.

— C'est peut-être sa façon aussi de communiquer avec toi, de te dire qu'il est bien là.

— Je comprends ce que vous voulez dire, maman, mais de mon côté, je suis encore préoccupée par cette aventure et je lui donne peut-être pas toute l'attention que je devrais.

— Tu t'en fais trop. Sois patiente, tout s'arrangera. L'important, c'est que vous vous aimiez.

— Vous avez sûrement raison, maman, une chance que je vous ai.

— Rappelle-moi tant que tu veux. Je vais être obligée de te laisser, quelqu'un frappe à la porte.

— À bientôt.

— Accroche-toi, ma grande!

***

Les semaines se sont accumulées sur les pages du calendrier et ont donné naissance aux mois. L'été, après un printemps bref mais invitant, a installé ses quartiers. La nature est magnifique et mon moral s'en ressent. Il me semble que je suis en train de reprendre goût à la vie. Oh! je me sens encore fragile, je frémis à la moindre émotion, mais il y a un je ne sais quoi dans l'air qui m'invite à sourire plus souvent. Je supporte mieux la nourriture solide même si je régurgite régulièrement mes repas. Je crois que mon estomac et moi avons décidé de ne pas nous disputer inutilement... Le bébé bouge sans cesse. Le retour des beaux jours me rend plus indépendante, j'ai l'impression de ne plus être seule avec mon drame intérieur, en conséquence, je ressens moins le besoin de me confier. Mon ventre est devenu proéminent et lisse. Je ne sors pas, afin de ne pas alimenter inutilement les commérages. Je ne tiens surtout pas à ce qu'une effrontée évoque publiquement devant moi la question de la paternité de l'enfant que je porte. Mes journées se résument à ces simples préoccupations: regarder gros-

208

sir mon ventre, faire en sorte de ne pas susciter les ragots, essayer de ne pas vomir au moindre geste un peu brusque...

Alex paraît plus détendu même si, peut-être sans le vouloir, je ne lui rends pas la tâche toujours facile. Ainsi, j'ai refusé qu'il s'associe à Simon dans une transaction visant l'achat de plusieurs appartements. Au point de vue financier et à long terme, l'affaire aurait pu se révéler intéressante, n'eût été d'un détail: l'immeuble en question est situé à un coin de rue de notre ancienne résidence et, pour rentabiliser l'investissement, nous aurions été dans l'obligation d'y emménager, Alex et moi, en compagnie de Simon et de sa femme. Je ne suis pas encore prête à retourner vivre à proximité de l'endroit où j'ai été agressée. Alex, malgré tout l'intérêt qu'il portait à cette transaction, a décidé de m'appuyer sans réserve. Son attitude jette de l'huile sur le feu dans ses relations avec sa famille mais représente la première brèche d'importance dans le mur d'incompréhension et de silence qui nous sépare depuis plusieurs mois.

Pendant la première semaine d'août, je ne peux plus rien avaler, mais vraiment rien. Purée, liquide, tout ressort aussitôt, même un verre d'eau fraîche. Pourtant il me reste encore quelques semaines, j'ai peine à comprendre ce qui se passe. Une visite à l'urgence de l'hôpital nous fait revenir bredouilles: ils ne peuvent rien faire.

Le 13 août, en après-midi, je ressens d'importantes douleurs au ventre en même temps qu'une faim d'ogre.

— Prépare-toi, nous allons au C.L.S.C. me dit Alex, plus inquiet que moi.

L'infirmière qui me reçoit ne sait plus quoi penser et nage dans l'incertitude et le doute. Elle n'ose pas se prononcer sur mon cas. Comme il me reste encore un mois à compléter, elle me dit de retourner chez moi, toujours avec mes douleurs.

Ce soir-là, un peu après minuit, le mal persiste et les douleurs se font de plus en plus régulières. J'ai beau penser qu'il s'agit d'une fausse alarme mais l'angoisse commence à me serrer la gorge sérieusement.

— Alex, tu ferais mieux d'appeler mes parents car je pense que le bébé veut absolument sortir, cette nuit.

Comme nous n'avons pas d'automobile, Alex s'exécute et demande encore à mon père, par téléphone, de jouer les taxis. Ma mère, réveillée par l'appel à cette heure, veut absolument me parler:

— Où as-tu mal?
— J'ai l'impression que mon ventre est sur le point d'éclater!

— Quand la douleur a-t-elle commencé?

— Je n'ai pas regardé l'heure. Au début, je me disais que ça allait passer... Je ne voulais pas te faire venir inutilement.

— Je crois qu'il serait préférable que nous nous rendions à l'hôpital.

— Ça va peut-être passer, maman.

— Il ne faut pas prendre de risques. Nous serons chez vous dans moins de dix minutes. Allonge-toi en attendant et, surtout, reste calme.

\*\*\*

— Madame Roussel, il était temps, le col de votre utérus est ouvert d'au moins huit centimètres. Ce sera pour cette nuit, sans aucun doute.

Très surprise, je regarde le jeune médecin penché au-dessus de moi, me doutant bien de la portée de ses paroles.

— C'est impossible, lui dis-je, il me reste encore un mois à faire. Il sera prématuré.

— Vous seriez pas la première femme à accoucher prématurément ou à vous être trompée de date, me dit-il en souriant du coin de l'œil.

Alors que mes parents sont restés dans la salle d'attente, Alex descend à l'admission pour remplir les papiers nécessaires. L'infirmière, nerveuse, elle aussi, me quitte un instant. Je suis seule, là au milieu d'une chambre d'hôpital, face, encore une fois, à l'inconnu. J'ai peur et j'ai hâte qu'Alex remonte.

L'infirmière revient la première et me fait transporter rapidement à la salle d'accouchement. On ne me parle pas plus qu'il ne le faut et je continue d'être inquiète.

Rien ne se passe comme je l'avais appris à mes cours; aucun soluté à mes côtés, on ne me rase pas, aucun lavement.

— On n'a pas une minute à perdre, le bébé va être là dans peu de temps, il faut être prêts, me dit l'infirmière de garde.

Le médecin qui m'a accueillie, une vingtaine de minutes auparavant, est bientôt rejoint par un collègue un peu plus âgé. Une batterie de trois infirmières s'affaire autour de moi tandis qu'un anesthésiste prépare ses instruments. Je suis impressionnée et un peu intimidée par ce branle-bas de combat qui ne concerne que ma modeste personne. Lorsque Alex revient, j'ai l'impression qu'il s'est absenté pendant plus d'une heure...

Je transpire sans arrêt et mes cheveux sont mouillés. Une infirmière, qui lit sans doute dans mes pensées et dont je n'aperçois que la main, rafraîchit mon visage avec une serviette. Je ne pensais pas qu'accoucher pouvait être aussi douloureux. Est-ce que le fait de donner naissance à un enfant prématuré rend la tâche de la mère plus difficile? Je voudrais poser la question aux gens autour de moi, mais je manque d'énergie, je suis littéralement au bout de mes forces. Jamais je ne pourrai passer à travers cette nouvelle épreuve! Je ferme les yeux en essayant de penser à autre chose, aux moineaux devant ma fenêtre, à cet enfant qui sera bientôt là, à papa... La douleur revient. Fulgurante! Je cligne des yeux en sanglotant.

— Maman, où est maman?
— Elle sera bientôt là, Line. Respire à fond.
— Restez calme, Madame. Tout ira bien.

Le ton professionnel du médecin, au lieu de me rassurer, augmente mon inquiétude. Ce type est trop sûr de lui, de ses moyens, il y a trop de gens qui s'affairent au-dessus de moi... Il va arriver quelque chose, je vais peut-être mourir. J'espère qu'ils pourront sauver mon enfant, quel que soit son père!

— Line?
— Alex, oh! mon Dieu! Alex... si tu savais!
— Tout ira bien, tu t'en sortiras.
— Tiens ma main, ne me quitte pas, je t'en prie.

\*\*\*

— Allez-y, poussez, madame Roussel, ça y est presque maintenant!

Il est 3 h 48 et on dépose sur mon ventre mon premier enfant. Elle est née enfin. Elle est belle mais n'est pas petite. Tout ça s'est tellement passé rapidement que j'ai peine à tout suivre, à tout voir, à tout entendre et surtout à tout comprendre. L'infirmière la reprend, la soupèse, la nettoie.

— Elle pèse 6 livres et 7 onces. C'est une belle fille. Je vous la laisse encore un peu.

Je regarde mon bébé; ses cheveux foncés sont ondulés et bouclés. Alex et moi avons les cheveux raides et châtain pâle. Elle me ressemble. Mille idées me traversent la tête. Je suis heureuse mais confuse. Alex, pour sa part, est perplexe. Il lui touche du doigt avec dédain et ne parvient pas à croire qu'il est enfin père pour une première fois. Je ne vois pas sa joie. Il ne dit rien. Le pauvre, il n'a pas eu le temps de vraiment se préparer, l'enfant est arrivé trop vite.

Mes parents entrent dans la salle et nous montrent vraiment leur joie d'être grands-parents encore une fois. L'euphorie passée, ils me quittent pour me laisser récupérer et, comme ils voyagent dans la même automobile, ils reprennent avec Alex le chemin du retour me laissant là avec le bébé et ma solitude. J'aurais aimé que tout se passe autrement. J'arrive mal à me représenter en esprit tout ce qui vient d'arriver. J'essaie de mettre de l'ordre dans mes sentiments, dans mes idées, dans mes inquiétudes. Je dois garder le contrôle de mes nerfs. J'ai envie de pleurer. Alex me manque. Son mutisme de tout à l'heure me fait encore mal. Quand il est parti de la chambre, j'ai vu une grande tristesse dans ses yeux. Un océan de questions aussi.

Les calmants aidant, je sombre dans un profond sommeil, je suis comme morte.

*** 

*Michel Chartier me regarde par en dessous et ses yeux ressemblent à ceux d'une hyène. Son visage est barbouillé de sang et il rit à gorge déployée. Au bout de chaque bras pend une hache dont la lame est maculée d'une matière brunâtre. Il avance vers moi et ses lèvres commencent à bouger. Je suis attachée sur mon lit, j'essaie de comprendre les paroles qu'il prononce mais c'est impossible. Un enfant, mort-né, repose sur mon ventre flasque. Arrivé près du lit, Chartier me regarde, sourit et lève les bras. Il va me tuer! Je veux hurler mais aucun son ne s'échappe de ma gorge.*

*** 

L'étage des accouchées est un milieu de vie où tout se mêle: pleurs, rires, plaintes aiguës, remarques de travail, bruits divers, silences nocturnes, plateaux qu'on transporte d'une chambre à l'autre, etc.

Je ne puis empêcher mon esprit de fabuler. La «pilule du lendemain», que l'infirmière m'a remise la nuit de l'agression à l'urgence de l'hôpital, a pu ne pas avoir d'effet... J'ai toujours désiré avoir des enfants, quatre, cinq même! Je ne tiens pas, cependant, à ce que mon aînée ait les traits de Michel Chartier! Que diraient ma famille, mes amis? Et moi, serais-je assez forte pour traverser cette épreuve sans y laisser le meilleur de moi-même?

Je n'ai toujours pas eu de réponse à ma question. Je veux savoir si oui ou non mon bébé est prématuré. Selon mes calculs, Mélissa devait naître autour du 12 septembre. Elle est arrivée le 13 août. Elle est née neuf mois après l'agression. Cette interrogation me hante jour et nuit. Je pose cent fois les mêmes questions aux infirmières qui s'approchent de moi. Ça devient une véritable obsession. Il faut qu'elle soit prématurée. Je ne veux pas de cette enfant si le père est l'agresseur.

Je sais pourtant qu'une enfant prématurée a un poids inférieur à la moyenne; ce n'est pas le cas de Mélissa. Je veux des preuves que cette enfant est née avant terme. Il m'en faut absolument: dessous des pieds plissés, petite taille, tube digestif pas tout à fait formé, ongles incomplets, de grâce, je vous en prie, je veux des marques tangibles que cette enfant a bien été conçue par Alex, par celui que j'aime!

Les infirmières ne comprennent pas mon obstination et cherchent à savoir pourquoi je m'acharne tant à vouloir un enfant prématuré. Elles n'ont jamais vu ça.

Il a bien fallu que je m'explique mieux en leur racontant ce viol infect. Elles ont compris et essayé de me réconforter chacune à sa façon, vainement toutefois. Leurs paroles ne collent pas.

Alex me rend visite chaque jour et c'est à lui que je m'ouvre délicatement. Sa réponse scelle à tout jamais cette angoisse.

— Je veux surtout que tu m'écoutes, Line. Ce que j'ai à te dire est très important. Je t'aime et je t'aimerai jusqu'à ma mort. Quoi qu'il arrive et quoi que tu fasses, je serai toujours à tes côtés. Cet enfant est le nôtre et je ne veux rien savoir des tests. Tu n'as plus à t'en faire maintenant. J'ai accepté ce qui est arrivé; le destin a voulu que ça se passe comme ça; je peux rien y changer et toi non plus. Oublions cette folie.
— Merci, Alex! Je t'aime.

*** 

Sept jours après l'accouchement, le retour à la maison s'effectue normalement. Je repense souvent aux paroles d'Alex et elles me font du bien.

J'ai une légère dépression que je trouve anodine à côté du sentiment qui grandit en moi: je n'accepte pas Mélissa. Je ne peux la regarder sans penser à lui, à cet infâme voyou qui m'a massacrée à vie dans l'espace de quelques heures.

Je lui donne les soins nécessaires à la vie, rien de plus. C'est plus fort que moi. Les deux visages se confondent à toute heure du jour et de la nuit. Je choisis quand même l'allaitement maternel, malgré tout. Mais je refuse de me lever pour lui donner son boire de nuit. Je ne veux pas qu'elle me dérange la nuit. Je n'accepterai plus jamais d'être dérangée, la nuit.

Alex compense merveilleusement. Entièrement responsable de sa promesse faite à l'hôpital, il joue à la fois les rôles de père et de mère. Il comprend et pallie.

Elle dort sur lui du soir au matin, la petite oreille tout contre son cœur. Dès qu'elle s'éveille pour le boire de nuit, très doucement, il la place pour qu'elle puisse prendre mon sein sans même, parfois, me réveiller. Il est merveilleux. Il la berce, lui donne son bain, change ses couches, la dorlote, lui montre son amour, ce que je suis incapable de faire.

À travers cette magnifique leçon de compréhension et d'amour, je pique des crises, je veux qu'il donne cette enfant à sa sœur aînée. Jour après jour, un fort sentiment de refus s'installe en moi, plus ferme, plus solide que jamais. Pourtant, si je nourris encore quelques doutes sur la paternité de cette enfant, je n'en ai aucun sur ma maternité. Cette fille est bien la mienne et je devrais arriver normalement à l'aimer.

***

13 octobre 1980: Mélissa a deux mois et ne va pas bien du tout. Son corps est très chaud et rien ne peut arrêter ses pleurs. Alex revient du travail et constate le piètre état dans lequel elle se trouve. Il colle très affectueusement son visage contre le sien pour sentir la vie qui circule encore dans ce petit corps malade. Bouillante de fièvre, elle fait entendre quelques faibles gémissements, presque inaudibles.

— Nous n'avons pas le choix, Line, c'est l'hôpital ou nous risquons de la perdre.
— Tu as sans doute raison, elle est très malade.

Notre pèlerinage nous amène dans trois hôpitaux différents. Impossible de diagnostiquer quoi que ce soit. Aucun médecin ne peut nous aider dans les soins à apporter. Nous la ramenons à la maison, morts d'inquiétude et d'impuissance.
Alors qu'Alex s'apprête à la bercer une partie de la nuit, le téléphone sonne:

— Madame Roussel!

— Oui, c'est moi.

— Ici l'hôpital. Vous êtes venue ce soir avec votre enfant. Nous aimerions que vous nous la rameniez rapidement, on croit avoir trouvé ce dont elle souffre.

Il s'agissait du premier centre hospitalier visité. Le médecin qui m'a parlé semblait très catégorique et sûr de lui. Nous n'avons aucune chance à prendre, nous la ramenons rapidement. Sa fièvre augmente toujours et sa nuque est maintenant raide. Vraiment inquiétant, cet état. Le pédiatre nous attend à l'entrée. Il est formel: elle est atteinte de méningite. Une maladie grave qui peut amener la paralysie, le handicap mental ou la mort.

— Ne vous inquiétez pas, vous nous l'avez amenée assez tôt pour la sauver. Elle s'en sortira, ne craignez rien.

Je ne peux retenir mes larmes. Me voilà bien punie pour cette enfant que je refuse depuis son arrivée. Le Bon Dieu vient me la reprendre. C'est de ma faute, de ma très grande faute. Je ne vivrai jamais assez pour me pardonner. Nous la laissons à l'hôpital pour d'autres soins appropriés.

À mon retour à la maison, je demande à Alex de me laisser seule dans la chambre de Mélissa afin de mieux réfléchir à ce qui nous arrive.

Assise par terre près de son berceau, je remonte son carrousel musical et demande à son ange gardien de la sauver de cette maladie grave.

— Mélissa, pardonne-moi d'avoir été une mère indigne. Je t'ai repoussée et je n'en avais pas le droit. Tu n'as rien eu à faire là-dedans. Je sais bien que tu n'as pas demandé à naître et il m'appartient maintenant de m'occuper de toi. Reviens-nous, tu verras ce que je veux dire. Je promets dorénavant d'être une vraie mère pour toi. Je sais que le Bon Dieu veut peut-être me punir en te ramenant à Lui. Ne Le laisse pas faire; j'ai besoin de toi. Je t'en prie. Je veux une seconde chance de t'aimer comme une vraie mère.

Dix-sept jours plus tard, elle nous revenait toute rose de santé et souriante. Aucune séquelle apparente. Quelle belle journée que celle-là! La vie repartait à neuf.

# CHAPITRE 7

# LA MÉMOIRE DU CORPS

La vie continue avec ses périodes faciles et roses et ses situations pénibles. De 1981 à 1986, l'emploie se fait de plus en plus rare. L'aide sociale et les prestations de chômage deviennent tour à tour nos principales sources de revenus. Nous vivons pauvrement. La famille grandissant, nous avons besoin de plus d'espace. Nous emménageons presque tous les ans dans un nouveau logement. En janvier 1982, je mets au monde un garçon. En septembre 1983, un deuxième garçon. En avril 1985, c'est une seconde fille qui nous arrive et finalement, en juin 1986, nous héritons d'un cinquième enfant de sexe masculin, celui-là. Deux filles, trois garçons. Huit yeux bleus, deux yeux bruns...

La maison résonne de leurs rires et de leurs pleurs. Ça court dans tous les sens, de la cuisine au salon, en passant par les chambres et la salle de séjour. L'été, lorsque nous partons en camping, les voisins nous observent en souriant: ils se demandent comment nous arrivons à voyager ainsi, heureux et impatients de voir du pays, avec une ribambelle d'enfants suspendus à nos basques! Cette atmosphère détendue me rappelle les beaux jours de mon enfance. J'espère que ma petite famille sera aussi heureuse que celle dans laquelle j'ai été éduquée. Je ne veux pas que Mélissa, ses frères et sa petite sœur grandissent dans la violence et l'injustice. Je n'ai pas voulu tous ces enfants pour m'occuper l'esprit et, ainsi, oublier mon drame. Cependant à chaque grossesse qui arrive, c'est toujours la même question: ressemblera-t-il à Mélissa? Aucun de mes autres enfants ne lui ressemble.

Malgré les efforts promis, je confesse mon incapacité d'accorder à Mélissa l'amour que je prodigue si naturellement à mes autres enfants. Ma mère se rend compte de tout ça et, discrètement, essaie à sa façon de combler le vide affectif entre ma fille et moi. Elle vient la chercher pour quelques jours, la gâte un peu plus que les autres, lui achète de nouveaux vêtements, l'amène en vacances avec eux, etc. Bref elle essaie de compenser ce que ma nature blessée lui refuse. Elle veut m'aider et le fait bien. Elle donne à Mélissa beaucoup plus qu'elle ne donne à ses autres petits-enfants, et moi, je sais bien pourquoi, même si nous n'en avons jamais parlé.

Un bon matin d'automne, c'est avec une larme que je la vois s'engouffrer dans le monstre jaune pour ses premiers jours d'école. L'amour, l'affection et la tendresse sont toujours aussi absents entre nous deux. J'ai toujours hâte qu'elle soit plus grande pour enfin mieux lui expliquer certains événements de ma vie. En ce moment, elle ne pourrait pas comprendre. Aucun enfant ne le pourrait d'ailleurs.

J'ai l'impression qu'elle se rend compte de rien. Mais erreur, je me trompe car à l'école, elle dit carrément à son professeur que sa mère ne l'aime pas. Ce qui nous vaut d'être appelés par un comité de l'école pour fournir quelques explications car la petite en fait mention à qui veut l'entendre. Je refuse d'aller m'expliquer. Alex y consent et leur raconte les faits. La paix revient.

Un autre problème qui me consume par l'intérieur depuis une certaine nuit de novembre concerne ma sexualité. J'étais certaine que le désir sexuel allait revenir de lui-même, que la passion, déjà connue, allait se raviver naturellement et que le plaisir de faire l'amour ne pouvait pas s'éteindre à tout jamais, même après une très mauvaise nuit. Surtout si l'homme avec lequel on vit présentement nous attire tout autant sinon plus qu'avant.

Bien sûr que je n'ai pas réalisé tout de suite que j'étais la principale source du problème. Bien sûr que je n'ai pas voulu tout mettre sur le dos de cette nuit maudite. Les nombreux enfantements, quoique désirés, avaient sûrement perturbé ma libido. Le temps se chargerait de tout réparer.

En attendant, je refuse d'en parler avec mon conjoint. Je me réjouis presque de mes indispositions menstruelles, j'ai honte de ce problème que je cache au plus profond de moi. Je fais, de temps en temps, semblant d'aimer «ça» pour éviter la confrontation ultime. Je manque de courage face à ma sexualité défaillante et à ma frigidité devenue chronique avec les ans. Est-il donc vrai que le corps a sa propre mémoire même si l'esprit et la volonté ont passé l'éponge?

À l'été de 1987, les enfants jouent dehors, le soleil frappe dur. Je suis seule dans la maison et je pleure. Je suis de plus en plus consciente de mes problèmes sexuels et de l'affection et de l'amour que je ne donne pas à Mélissa, cette jeune de huit ans qui réclame, à sa façon, sa part de bonheur. C'est sûrement grave: je suis incapable d'embrasser cette enfant, de lui dire que je l'aime, de la prendre dans mes bras, de l'aimer tout simplement comme une mère aime ses enfants, naturellement. Plus elle vieillit, plus son visage me rappelle celui de l'agresseur. Ce cauchemar ne se terminera-t-il donc jamais? Il faut bien l'avouer, je suis encore littéralement envahie par cette agression et les tourments qui ont suivi.

J'ai une belle entente avec mon mari, j'ai de merveilleux enfants mais je suis mal dans mon être. Je suis malade. J'ai mal à l'âme et je ne sais pas comment me guérir. Je connais la cause et ignore le traitement.

Il me faut de l'aide. Mon corps et mon esprit ont camouflé trop longtemps en eux cette nuit d'enfer qu'il faut maintenant expulser à tout jamais. Je dois revivre ce viol, le dire, le crier afin de m'en délivrer. Cette étape s'impose maintenant à moi, et à moi seule.

À 24 ans, voilà que je pense déjà que les relations sexuelles avec mon mari sont devenues un «devoir d'épouse». Tandis que nos jeunes corps sveltes s'amusent entre les draps, mon esprit voyage hors de la chambre; loin hélas! J'ai l'impression de tromper mon mari avec mon mal, de lui jouer la comédie, lui si généreux, si entier, si sincère.

Pendant qu'il s'évertue à me dire les mots tendres qu'il faut dans de telles circonstances, à me prodiguer des caresses souvent divines, à m'enlacer juste à point pour connaître le septième ciel, voilà que, moi, je ne trouve rien de mieux qu'à penser à autre chose et à espérer qu'il se fatigue. Rien ne déclenche en moi la réponse affective qu'il espère tant. Je suis devenue une handicapée sexuelle, je suis devenue malhonnête et pleine de remords envers mon compagnon qui ne mérite pas un tel sort. Pas après ce qu'il a fait pour moi et ce qu'il a enduré à cause de ce qui m'est arrivé.

Pendant de longues heures, tous les jours, je repense à mon agression. Je me revois dans cette histoire morbide comme si elle avait eu lieu hier. Je me demande sévèrement pourquoi je n'ai pas tenté de fuir. Pourquoi, sur le bout du perron du chalet, je ne m'étais pas sauvée dans les bois à proximité. Pourquoi j'avais été une proie si facile à manipuler. Pourquoi je n'avais pas crié. Pourquoi je ne m'étais pas débattue. La réponse de la simple «peur de mourir» ne me satisfait plus, ne justifie plus rien à mes yeux. Il faut que je trouve mieux. Il faut que je vomisse tout le fiel encore enfoui en moi.

J'exclus Alex de mon cheminement car, malgré sa bonté et sa capacité d'écoute, il ne pourrait faire le poids moral qu'il faut pour soigner un tel mal. Il trouverait difficile même d'accepter une réaction aussi tardive et aussi démesurée en apparence.

— Je veux revoir d'abord mon médecin de famille, dis-je à Alex, je crois qu'il saura bien me conseiller.
— En plus, il connaît au moins toute ton histoire.

Quelques jours après, je me retrouve devant ce bon vieux docteur Poitras qui me reçoit sans me juger.

— Je crois bien qu'il va falloir te soumettre à un bon psychothérapeute. Tu en as besoin et il saura te faire du bien de façon à en finir avec ce problème-là une fois pour toutes.

— Vous connaissez mes réticences sur le sujet, Docteur.

— Oui, oui, mais les temps ont changé Line. Leurs salles d'attente sont pleines de gens normaux qui ont besoin d'aide. Les fous et les handicapés mentaux sont dans des hôpitaux psychiatriques. Les incurables sont enfermés. C'est pas ton cas.

— Vous pensez, Docteur, qu'il est possible de venir à bout de ce problème?

— Bien sûr, Line. Avec un peu de bonne volonté de ta part le mal sera parti en quelques séances. Tu verras bien.

Il me griffonne un nom et une adresse et me tend le papier en me disant:

— Je te suggère cette psychologue d'abord. Elle saura sûrement te comprendre mieux encore qu'un homme.

— Merci, Docteur, je savais bien que je pouvais me fier sur vous.

— Tiens-moi au courant des développements; il faut que ça réussisse.

— Au revoir, Docteur, et à la prochaine.

À bien y réfléchir, j'avais peur des «qu'en dira-t-on» et des rumeurs que ces rencontres avec une psy pouvaient engendrer. Respect humain, quand tu nous tiens...

\*\*\*

Lise Rochette doit avoir dans les quarante ans. C'est une femme plutôt bien conservée, grande et bien en chair. Elle économise ses gestes et tandis qu'elle m'observe en souriant, je continue à avoir les nerfs à fleur de peau.

— Vous permettez que je vous appelle par votre prénom? me demande-t-elle.
— Bien sûr...
— Faites de même avec moi, j'ai l'impression de vous connaître depuis des années.

Je souris à mon tour, encore nerveuse face à l'inconnu. Cette première rencontre en est plus une d'information que de travail. On ouvre mon dossier, on précise les jours et les heures de travail, les honoraires chargés et quelques autres règles à suivre pour le bon déroulement des séances.

Les dimensions de la pièce sont modestes, je commence à mieux m'y sentir. Des diplômes sont accrochés au mur derrière le bureau. À travers la fenêtre à carreaux, j'aperçois une patinoire sur laquelle évoluent avec agilité des jeunes garçons qui semblent s'amuser ferme.

Sur le chemin du retour, je repense aux honoraires chargés de 45 $ l'heure tout en me demandant si nous avons les moyens de payer un tel montant, toutes les semaines.

Alex et moi, nous cherchons d'autres options.

Comme l'école locale vient tout juste d'engager un psychologue, peut-être accepterait-il de me prêter main forte. Mais il faut d'abord conter sa vie à un comité avant de savoir si oui ou non, le spécialiste peut nous aider. En plus, le fait qu'il soit un homme n'aide en rien ma situation. Même problématique du côté du C.L.S.C.; le psychologue qui y travaille, en plus d'être aussi de sexe masculin, est barbu. Merci pour moi, trop, c'est trop.

Enfin je décide de m'informer au comité des victimes d'actes criminels. On me répond que s'il y a un lien direct entre le crime et la thérapie, les honoraires seront alors défrayés par eux. Victoire.

Ces rendez-vous du mardi soir me sont toutefois pénibles. Exhumer cette mauvaise passe me rend un peu plus folle, chaque semaine. La psychologue reste là, silencieuse, attendant que je m'ouvre à elle de moi-même. Je ne sais pas par quel bout commencer. Trop d'images me bouleversent, trop d'émotions remontent. Elle ne m'aide pas. C'est le désordre total dans mon esprit. La peur est encore là, tout entière en moi, telle une bête qui ronge même mes propres mots avant de les évacuer.

Je ne sais plus comment m'asseoir ni où regarder. Je hais ces temps morts où rien ne se passe. Où je n'avance pas d'un seul pouce. Je sais que Lise Rochette joue bien son jeu, espérant que mon inconfort me fasse exploser une fois pour toutes. Je résiste. Je réclame la facilité, l'entretien où nous pourrions parler, échanger entre femmes, nous comprendre, quoi!

— Je ne suis pas ici pour ça, comprenez-moi bien, Line. Je n'ai pas le droit de vous suggérer ce qu'il faut me dire. Vous devez le trouver toute seule et l'exprimer à votre façon. C'est la seule manière de guérir. Moi, je respecte votre rythme, c'est tout. On est pas dans un salon de thé, ici.

Ces séances sont rendues obsessionnelles pour moi. Je n'arrive plus à les oublier. Je perds du poids, je dors très mal, je ne mange presque plus, tout cela m'angoisse plus qu'avant.

Du côté sexuel, Alex n'en peut plus d'attendre. C'est vrai qu'il a tout essayé. Son désir est légitime: il veut vivre une sexualité normale avec la femme qu'il aime sans être toujours repoussé. Il ne peut même pas imaginer que le mal est encore là, intact, en moi, après tant d'années. Je n'ai d'ailleurs pas le courage de lui avouer que cette agression me ronge encore, aussi fortement que le lendemain du drame.

\*\*\*

Nous en sommes à la troisième séance chez la psychologue. Séance qui me tuera sûrement.

— Je souhaiterais que vous me racontiez dans vos mots les événements du 27 novembre 1979.

Je savais qu'elle en viendrait là. Jamais je n'aurais pensé souffrir à ce point. Tout est là, imprimé dans ma mémoire: la peur, le désespoir, le dégoût de cet homme, ses mains sur ma poitrine, sa senteur, son sperme, ma crainte de souffrir, d'être tuée, tout. Émotivement, je suis à bout. Ma gorge étrangle mes mots. Je pleure. Je revis ce calvaire. Pourtant je l'ai raconté mille fois calmement et sans verser une seule larme. Aujourd'hui, je le vomis atrocement. Je réalise aussi jusqu'à quel point cette agression m'a affectée. La douleur est décuplée. C'est vrai que j'ai besoin d'aide, je le vois bien.

Je doute cependant que cette thérapie soit la bonne. Elle me fait trop souffrir pour être bénéfique. Je ne peux y croire suffisamment pour continuer. Je n'arrive pas à exprimer exactement ma détresse. Je revis ce viol avec tellement d'intensité que les mots me paraissent impropres et insuffisants à traduire vraiment ce qui se passe en moi au même moment. Je me contente de pleurer, amèrement. Je n'en peux plus de m'imposer cette souffrance et je ne crois pas assez aux résultats. J'ai l'impression de m'enfoncer davantage dans des sables mouvants. C'est sûrement sans issue. Je persévère quand même jusqu'au moment où elle me dit:

— Pour obtenir de meilleurs résultats, il faudrait absolument que vous soyez plus ouverte envers moi. Dorénavant, je ne vous poserai plus de questions. Vous devrez me confier spontanément ce que vous avez sur le cœur.

Voilà la goutte de trop. Le vase est plein. Cette façon de provoquer les émotions me déroute complètement. Je ne sais pas encore nager et elle veut me lâcher la main. Je ne peux plus, j'abandonne. Je manque de courage et je sais que je le regretterai.

En bonne professionnelle qu'elle est, madame Rochette me téléphone peu de temps après pour s'enquérir des raisons de mon abandon. Je lui explique mon incompatibilité avec ses méthodes de travail. Malgré mes explications, elle me dit que j'étais sur la bonne voie et que je devrais continuer.

— Madame Rochette, lui dis-je avec des sanglots dans la voix, n'insistez pas. Je ne veux plus poursuivre le traitement. Un point, c'est tout.

— Je ne vous approuve pas mais je vous comprends. Si vous changiez d'idée, n'hésitez pas; rappelez-moi et nous reprendrons.

— Je vous remercie de tout ce que vous avez fait pour moi.

— Au revoir, Line, et bonne chance!

Après avoir rompu avec ma thérapeute, je me sens très lâche. C'est aussi stupide qu'arrêter le dentiste en cours de plombage en espérant que le mal va s'en aller tout seul. Je demande à une spécialiste de m'ouvrir l'âme pour m'aider et je me sauve avant qu'elle ait le temps d'opérer. Quelle angoisse j'ai dû lui faire vivre! Quelle souffrance supplémentaire me suis-je imposée par mon ignorance des traitements nécessaires à une telle blessure! C'est en 1979 que j'aurais dû fuir la scène du drame, pas aujourd'hui.

Je me suis débarrassée des séances hebdomadaires mais pas de la souffrance qui m'étreint. Je dois trouver une nouvelle façon d'exorciser mon mal, de l'éloigner de moi à tout jamais.

— Alex, penses-tu qu'écrire mon histoire me ferait du bien? J'ai l'impression que ça serait plus facile.
— Je sais pas trop quoi te répondre. Je peux pas beaucoup t'aider dans ce secteur-là. Tu sais que je lis jamais.
— Élisa T. semble s'en être sortie comme ça, en écrivant.
— Je crois pas beaucoup à cette méthode.

Il a peur lui aussi de se blesser encore une fois, peur de revivre cette angoisse inoubliable. Je garde quand même l'idée en tête.

En mars 1989, je tombe dans une seconde période dépressive. Plus noire que jamais, je ne trouve plus rien de beau ici-bas et les longues journées entre mes quatre murs n'ont plus rien d'intéressant. Je garde ma robe de chambre toute la journée, ne me maquille plus, ne veux même plus voir le soleil. Je n'ai plus aucune raison de vivre et je ne vois pas pourquoi je ferais des efforts. J'oublie même quelquefois l'existence des enfants.

Ce soir, assis tous les deux au salon, la tension est à son maximum entre Alex et moi. L'angoisse, la culpabilité m'étouffent littéralement. Je sens que je vais craquer. Pour éviter le pire, je monte précipitamment à ma chambre et je m'enferme dans la noirceur pour laisser sortir toute ma peine.

La réalité est là, face à moi et je ne peux plus la fuir. Ma lâcheté de plusieurs années vient de m'éclater en pleine face. Je serre les poings demandant à Dieu pourquoi il avait fallu que ça m'arrive à moi. L'humiliation sublime, la honte, le remords, la dépression et la souffrance, toujours la même?

Je tremble de rage, je gesticule, je frappe sur mon lit, j'étouffe, je veux tuer ce souvenir, je crie ma haine contre la vie.

Alex entre dans la chambre, je le repousse violemment, je refuse qu'un homme me touche, ce soir. Je suis en colère, révoltée contre la vie et contre tous les êtres qui m'entourent y compris ceux que j'aime.

— Line, calme-toi, voyons.
— C'est pas de ma faute, vas-tu un jour me croire, Alex? Je suis innocente de tout ce qui m'est arrivé.
— Je sais très bien, Line, que tu n'y es pour rien, mais arrête de crier comme ça, tu me fais peur.

— Je n'y peux rien, je suis rendue à bout, Alex. J'ai tellement de choses sur le cœur que je voudrais te dire depuis si longtemps.

— Tu peux me parler, Line, mais je veux que tu te calmes avant puis que t'arrêtes de pleurer. Étends-toi un peu sur le lit, ça va te faire du bien.

— Alex, c'est à cause de mon viol que je refuse de te faire l'amour. Tout le désordre a commencé ce soir-là. Tu n'y es pour rien et je prends tous les blâmes de la situation. Je t'aime et tu es le seul homme que j'aime; sois sûr de ça. J'ai besoin de toi mais si je suis incapable de te rendre heureux, j'aime autant que tu me quittes.

— Voyons donc, Line!

— Je suis sérieuse. Je ne serai plus capable de te mentir ou de faire semblant. Refais ta vie avec une autre femme avec qui tu pourras avoir une vie sexuelle normale.

— C'est toi que j'aime, Line, c'est pas une autre.

— Je le sais mais je ne te mérite plus. J'ai trop abusé de toi, je t'ai trop menti.

— En gardant ton secret juste pour toi, tu t'es fait souffrir et maintenant, c'est fini.

Alex ne sait plus comment réagir devant ma peine et s'en trouve totalement démuni.

— Line, t'aurais pas envie de retourner à tes traitements chez la psychologue?

— Il n'en est pas question. Pour aucune considération.

— Tu peux pas te laisser mourir comme ça.

— La terre ne perdrait pas grand-chose, je t'assure.

— Tes enfants pis moi, on a encore besoin de toi. Oublie pas ça, au moins.

Au fond, Alex est le seul être en qui j'ai totalement confiance. Lui seul peut réveiller en moi la force qu'il me faut pour surmonter ces difficultés de l'existence. Ensemble, ce sera sûrement possible de trouver une solution à mon problème.

Je me rends bien compte aussi que je transmets ma tristesse à tous les membres de ma petite famille. Je les entends chuchoter dans mon dos, ils ne rient plus, ne courent plus dans la maison, évitent de me contrarier. Je leur rends la vie impossible. Il faut que ça change et vite. Je n'ai pas le droit de leur faire ça.

\*\*\*

Le printemps est arrivé presque du jour au lendemain. Les écureuils sont tous sortis de leur tanière, les enfants ne veulent plus de leurs mitaines, l'eau coule partout et le soleil est bon. Il est redevenu chaud; il était temps.

Nous profitons de cette belle semaine pour rendre visite à Annie, la sœur d'Alex.

— Comment as-tu fait pour garder ta taille de guêpe après cinq grossesses? me demande-t-elle à brûle-pourpoint.

Embarrassée par cette question, je m'étais juré que je ne parlerais jamais de mes séances de thérapie qui m'avaient, entre autres, fait fondre littéralement. Il est vrai que je suis restée mince. Je lui explique tant bien que mal les raisons qui m'ont poussée en thérapie, mon abandon, ma perte de poids et ma recherche d'équilibre toujours précaire.

— J'imagine les difficultés que t'as pu vivre. Si j'étais à ta place, Line, sais-tu ce que je ferais? J'écrirais mon histoire. Je suis sûre que ça te ferait du bien. T'aimes ça écrire, tu me l'as déjà dit: en plus, t'as toujours été bonne à l'école en français.

Stupéfaite de sa suggestion, je lui réponds:

— J'y ai déjà pensé mais Alex semblait pas d'accord, alors j'ai laissé tomber.

Cette idée de ma belle-sœur me confirme une fois de plus que le projet d'écrire n'était pas si stupide, après tout, et qu'il occuperait mon esprit à quelque chose de positif et me permettrait au moins de revoir les événements avec le recul des ans.

Le lendemain, dès le départ d'Alex, j'ouvre le

coffre où j'avais dissimulé tous les papiers du procès dans une énorme chemise verte qui dormait là depuis dix ans.

Je pense avoir enfin trouvé la vraie manière de me libérer l'esprit et le cœur de ce secret trop longtemps gardé.

Je m'accroche à ce témoignage comme à une bouée de sauvetage. Je suis fière de coucher sur le papier le fruit de mon expérience, de mes craintes, de mon désespoir... Je me sens beaucoup mieux, à présent. La honte et la gêne disparaissent pour céder la place à la fierté d'accomplir quelque chose de concret, d'utile, d'apaisant.

# ADIEU, MAMAM!

Mai 1991. Voilà une semaine qu'on a porté le corps de ma mère en terre. Je suis encore envahie par un énorme deuil, celui d'une petite fille envers sa mère. Celui d'une petite fille qui n'a pas tout dit à sa mère et qui le regrette.

L'air est pur, la nature est bien réveillée et je referme derrière moi l'énorme porte de métal grillagée du cimetière où elle repose depuis peu. J'ai enfilé la robe qu'elle préférait et me suis fait belle pour l'occasion. Je me sens bien d'être dans ce lieu, près d'elle. Je sais que ses ondes sont encore ici, que son cordon est encore relié à notre terre. Je sais qu'elle m'attendait avant le départ définitif.

Quelques abeilles butinent les fleurs moribondes laissées au pied de l'épitaphe. Le silence m'aide à me concentrer sur le message que je lui apporte.

Je m'assieds à proximité de son monument

sur lequel je peux voir sa photo scellée dans un médaillon ovale. On dirait que ma mère est là, vivante, qu'elle m'écoute. J'ai des sanglots dans la gorge, quelques larmes coulent doucement sur mes joues; je demeure sereine, pleinement heureuse d'être là.

— Maman, je suis venue vous dire ma peine que vous soyez partie si vite; j'avais encore besoin de vous, j'avais encore des choses à vous dire. Je n'ai jamais eu la force et le courage de me confier à vous, comme une fille à sa mère. Je sais que vous avez toujours compris mon attitude envers Mélissa et que vous ne m'avez jamais jugée. Vous vous êtes contentée d'aimer votre petite-fille et de continuer de m'aimer aussi. Je veux vous remercier aujourd'hui pour votre grande compréhension et je veux aussi vous demander pardon.

«Vous demander pardon d'avoir fait souffrir cette enfant en lui refusant l'amour auquel elle avait droit. Votre départ m'ouvre les yeux encore une fois et me force à vous promettre que j'aimerai dorénavant cette enfant comme jamais auparavant.

«Et si jamais je m'éloignais de ma promesse, je vous supplie de me rappeler à l'ordre et de me refaire penser que Mélissa, quel que soit son père, est bien MA fille et qu'elle mérite mon amour tout le reste de ma vie.

«Au revoir, maman, veillez sur elle et sur moi!»

# RESSOURCES EXISTANTES POUR LES VICTIMES D'AGRESSION SEXUELLE

Regroupement québécois des centres d'aide et de lutte contre les agressions à caractère sexuel du Québec
C.P. 1594
SHERBROOKE (Québec)
J1H 5M4
**(819) 563-9940**

Centre de prévention des agressions
C.P. 237, Succ. Place du Parc
MONTRÉAL (Québec)
H2W 2M9
**(514) 284-1212**

**Liste des Centres d'aide et de lutte contre les agressions à caractère sexuel du Québec (CALACS)**

BAIE-COMEAU

CALACS de Baie-Comeau
766, rue Bossé
BAIE-COMEAU (Québec)
G5C 1L6
**(418) 589-9366**

CHÂTEAUGUAY

Centre d'aide et de prévention d'assauts sexuels (CAPAS)
C.P. 284
CHÂTEAUGUAY (Québec)
J6J 4Z6
**(514) 699-8258**

CHICOUTIMI

La Maison ISA
C.P. 1551
CHICOUTIMI (Québec)
G7H 6Z5
**(418) 545-6444**

| | |
|---|---|
| DRUMMONDVILLE | La Passerelle - CALACS<br>C.P. 93<br>DRUMMONDVILLE (Québec)<br>J2B 6V6<br>**(819) 478-3353** |
| GRANBY | Centre d'aide et de prévention des<br>agressions sexuelles (CAPAS)<br>C.P. 63<br>GRANBY (Québec)<br>J2G 8E2<br>**(514) 375-3338** |
| HULL | Centre d'aide et de lutte contre les<br>agressions sexuelles Outaouais (CALAS)<br>C.P. 1872, Succ. B<br>HULL (Québec)<br>J8X 3ZI<br>**(819) 771-6233** information<br>**(819) 771-1773** urgence |
| LAVAL | Centre de prévention et d'intervention<br>pour les victimes d'agressions sexuelles<br>(CPIVAS)<br>C.P. 294, Succ. Vimont<br>LAVAL (Québec)<br>H7M 3W9<br>**(514) 669-8279** aide<br>**(514) 669-9053** administration |
| MONTRÉAL | Centre pour les victimes d'agression<br>sexuelle<br>1550, boul. de Maisonneuve O.<br>Bureau 703<br>MONTRÉAL (Québec)<br>H3G IN2<br>**(514) 934-4504** |

Mouvement contre le viol
C.P. 364, Succ. N.D.G.
MONTRÉAL (Québec)
H4A 3P7
**(514) 842-5040**

Le Service aux victimes d'agression
sexuelle de l'Hôtel-Dieu
3840, rue Saint-Urbain
MONTRÉAL (Québec)
H2W IT8
**(514) 843-2611**

Trêve pour Elles
3365, rue Granby, C.P. 51119
MONTRÉAL (Québec)
HIN 3T8
**(514) 251-0323**

QUÉBEC

Viol-Secours
C.P. 335, Succ. Haute-Ville
QUÉBEC (Québec)
G1R 4P8
**(418) 692-2252**

RIMOUSKI

Centre d'aide et de lutte contre les
agressions à caractère sexuel
(CALACS) de Rimouski
99, rue Saint-Louis, 2e étage, bur.:18
RIMOUSKI (Québec)
G5L 5P6
**(418) 725-4220**

ROUYN-NORANDA

Point d'appui – Centre d'aide et de
prévention des agressions à caractère
sexuel de Rouyn
C.P. 1274
ROUYN-NORANDA (Québec)
J9X 6E4
**(819) 797-0101**

ST-GEORGES-DE-BEAUCE     CALACS
11785, 2<sup>e</sup> Avenue
SAINT-GEORGES-DE-BEAUCE (Qc)
G5Y IW9
**(418) 227-4037**

ST-JEAN-SUR-RICHELIEU     L'Envolée
C.P. 492
SAINT-JEAN-SUR-RICHELIEU (Qc)
J3B 6Z8

ST-JÉRÔME     Centre d'aide aux victimes
d'agression sexuelle de
Lanaudière et des Laurentides
358, rue Laviolette
SAINT-JÉRÔME (Québec)
J7Y 2T1
**(514) 565-6231**

ST-LAMBERT     La Traversée - Centre de lutte
contre les agressions à carac-
tère sexuel de la Rive-Sud
C.P. 512
SAINT-LAMBERT (Québec)
J4P 3R8
**(514) 465-5263**

SHERBROOKE     Centre d'aide et de lutte contre
les agressions à caractère
sexuel (CALACS)
C.P. 1594
SHERBROOKE (Québec)
JIH 5M4
**(819) 563-9999**

TROIS-RIVIÈRES

Centre d'aide et de lutte contre
les agressions à caractère sexuel
(CALACS)
C. P. 776
TROIS-RIVIÈRES (Québec)
G9A 5J9
**(819) 373-1232**

VAL D'OR

Assaut Sexuel Secours
C.P. 697
VAL D'OR (Québec)
J9P 4P6
**(819) 825-6968** urgence

VALLEYFIELD

La Vigie
C.P. 295
VALLEYFIELD (Québec)
J6S 4V6
**(514) 371-4222**

Achevé Imprimerie
d'imprimer Gagné Ltée
au Canada Louiseville